Fra

Frühlings Erwachen

Von Hans Wagener

Philipp Reclam jun. Stuttgart

Wedekinds »Frühlings Erwachen« liegt unter Nr. 7951 in Reclams Universal-Bibliothek vor. Die Seiten- und Zeilenangaben in den Erläuterungen beziehen sich auf diese Ausgabe.

RECLAMS UNIVERSAL-BIBLIOTHEK Nr. 8151
Alle Rechte vorbehalten
© 1980 Philipp Reclam jun. GmbH & Co., Stuttgart
Durchgesehene Ausgabe 2000
Satz: C. H. Beck, Nördlingen
Druck und Bindung: Reclam, Ditzingen
Printed in Germany 2005
RECLAM, UNIVERSAL-BIBLIOTHEK und
RECLAMS UNIVERSAL-BIBLIOTHEK sind eingetragene Marken
der Philipp Reclam jun. GmbH & Co., Stuttgart
ISBN 3-15-008151-3

www.reclam.de

Inhalt

I. Wort- und Sacherklärungen

Personen

Rentier: (lat./frz.) Rentner, Rentenempfänger; auch: Renteninhaber, d. h. Besitzer fester Vermögenseinkünfte, festverzinslicher Wertpapiere.

Modell: hier: Künstler-, Malermodell.

Sonnenstich, Hungergurt, Knochenbruch, Affenschmalz, Knüppeldick, Zungenschlag, Fliegentod, Habebald, Kahlbauch, Prokrustes, Brausepulver: sprechende Namen von grotesker Wirkung mit Bezug z. B. auf geistige oder körperliche Defizite – *Sonnenstich, Zungenschlag* (der wirklich stottert, vgl. III,1) –, Brutalität – *Knochenbruch, Knüppeldick, Prokrustes* –, Unfähigkeit – *Brausepulver* – usw.

Habebald: Name auch einer der drei Gewaltigen in Goethes »Faust« II,10334.

Prokrustes: (griech.) ›Strecker‹; in der griechischen Mythologie ein Riese, der seine Gäste durch Ausrecken oder Abhacken der Glieder einem Bett anpaßte; vgl. ›Prokrustesbett‹ (›gewaltsamer Schematismus‹).

Gymnasialprofessoren: Lehrer an einem Gymnasium (Studienräte). Der Professorentitel gilt in einigen Ländern (Österreich, Schweiz) auch heute noch für Lehrer an höheren Schulen. (Wedekind war vom Mai 1879 bis zum Frühjahr 1884 Schüler der Kantonsschule in Aarau.)

Pedell: Hausmeister an einer Schule oder Universität, (Hoch-)Schuldiener; ahd. bitil ›Gerichtsdiener‹ wurde mlat. (13. Jh.) zu pedellus (bedellus, bidellus), von wo es rückentlehnt wurde.

Korrektionsanstalt: (schweiz.) Erziehungs-, Besserungsanstalt; von lat. correctio ›Berichtigung‹.

Medizinalrat: Titel für Ärzte im öffentlichen Gesundheitsdienst.

Der vermummte Herr: symbolische Gestalt, die als Gegenspieler des toten Moritz Stiefel in III,7 das Leben verkör-

pert (vgl. Anm. zu 81,20–22). Die Vermummung war
nötig, weil »das Leben« keine Individualität hat. Das
Wort *Herr* weist auf das weltmännische Auftreten der
Gestalt hin, die von Wedekind selbst in Frack und Zylinder dargestellt wurde. – In der Erfindung dieser anony-
men Figur hat man mit Recht Tendenzen gesehen, die
zwei Jahrzehnte später für das expressionistische Drama
mit seinen typisierten, »den Menschen« schlechthin
meinenden Gestalten charakteristisch wurden.

Ein Personenverzeichnis fehlt: Es fehlt z. B. auch in den späten Dramen Christian Dietrich Grabbes und in Georg
Büchners Drama »Woyzeck«, da es erst 1879, lange nach
Büchners Tod (1837), von Karl Emil Franzos aus dem
Nachlaß herausgegeben wurde. Auf die inhaltliche und
stilistische Verwandtschaft von »Frühlings Erwachen«
mit »Woyzeck« ist in der Forschung wiederholt hinge-
wiesen worden (vgl. z. B. Fechter, Kap. V,2). Das Fehlen
eines Personenverzeichnisses im »Woyzeck« ergab sich
jedoch aus dessen fragmentarischem Charakter und entsprach kaum einer Absicht Büchners.

Widmung

Dem vermummten Herrn: Hiermit hat Wedekind sein
Drama dem Leben selbst gewidmet, womit er am zeitgenössischen Lebenskult teilhat; vgl. Anm. zu 81,20–22.

Erster Akt. Erste Szene

7,8 *werdest:* Der korrekte Konjunktiv statt des gebräuch-
licheren ›würdest‹ wirkt geschraubt; vgl. Anm. zu 24,1–
25,14.

7,12 *Zoll:* von mhd. zol ›Klötzchen, Fingerglied‹; altes deutsches Längenmaß, ¹⁄₁₀ oder ¹⁄₁₂ Fuß, also 2–3 cm (vgl.
Anm. zu 67,4).

7,13 f. *Prinzeßkleidchen:* gürtelloses, in der Taille enganliegendes Kleid ohne Taillennaht, das nach der Prinzessin

Alexandra von England benannt ist. Es kam um 1865 auf und war um 1900 vorwiegend Gesellschaftskleid.

7,16 *Nachtschlumpe:* Die ›Schlampe‹ verwandte Schlumpe ist ein schlechtes, schlotteriges Kleidungsstück. ›schlumpen‹ bedeutet ›nachlässig gekleidet gehen‹ und ›schlaff herabhängen‹.

7,20 *Litze:* von lat. licium ›Faden‹; flache Schnur aus gedrehten oder geflochtenen Fäden; hier: (schweiz.) Schnur zum Einfassen von Kleidern, bes. Frauenröcken.

7,24 *stakig:* staksig, lang aufgeschossen, unbeholfen.

7,27 f. *Wer weiß – vielleicht werde ich nicht mehr sein:* Vorausdeutung auf den späteren Tod Wendlas.

8,7 *Volants:* (frz.) Stoffbesatz an Kleidungs- und Wäschestücken, besonders Damenkleidern.

8,10 *Wenn du nur nicht zu kalt hast!:* Wenn dir nur nicht zu kalt ist!

8,13 f. *Diphtheritis:* (griech.) fälschlich für ›Diphtherie‹, lebensgefährliche Infektionskrankheit im Hals- und Rachenraum.

8,18 f. *zwischen Licht abends:* in der abendlichen Dämmerung, im Zwielicht.

8,21 *Elfenkönigin:* Elfen oder Elben, urspr. dämonische Geister der germanischen Mythologie, sind seit dem 18. Jh. anmutige weibliche Wesen, übernommen aus der englischen Literatur (Shakespeares »Sommernachtstraum«, Miltons »Verlorenes Paradies«).

Zweite Szene

9,3 *Zentralamerika:* die Festlandbrücke Mittelamerikas, die Nordamerika und Mexiko mit Südamerika verbindet.
Ludwig der Fünfzehnte: französischer König (1715–74).

9,4 *Homer:* griech. ›Homeros‹, griechischer Dichter des 8. Jh.s v. Chr., mutmaßlicher Schöpfer der Epen »Odyssee« und »Ilias«, die in Hexametern, also in Versen, verfaßt waren.
Gleichungen: mathematische Gleichheitsbeziehungen

hier wohl sogenannte Bestimmungsgleichungen, bei denen mindestens eine Unbekannte *x* zu ermitteln ist.

9,6 *der lateinische Aufsatz:* Während sich der heutige La-
teinunterricht auf Übersetzen und grammatische Übun-
gen beschränkt, wurde im Gymnasium des 19. Jh.s Latein
noch oft als aktive Sprache gelehrt.

9,19–23 *Wozu ... fasst:* Die Widersinnigkeit der hier ange-
prangerten Pädagogik zeigt sich in der Scheinlogik dieser
Sätze.

9,20 *examinieren:* (lat.) prüfen, untersuchen.

9,25 f. *schnürt' ich mein Bündel und ginge nach Altona!:*
Altona, früher eine selbständige Stadt, seit 1937 Stadtbe-
zirk von Hamburg, hatte einen bedeutenden Hafen. Moritz würde von zu Hause weglaufen, um als Schiffsjunge
in die »weite Welt« zu ziehen und sich so von allen For-
derungen der bürgerlichen Gesellschaft zu befreien.

9,29 *schwarze Katze:* Nach weitverbreitetem Aberglauben
bringt eine schwarze Katze Unglück, besonders wenn sie
einem von links nach rechts über den Weg läuft (vgl.
9,32 f.).

9,34 f. *Charybdis ... Skylla:* Nach Homers »Odyssee« (vgl.
Anm. zu 9,4) ist die Ch. ein Meeresschlund, der dreimal
täglich das Wasser mit furchtbarer Gewalt einsaugt und
dann wieder ausspeit. Odysseus konnte sich nur mit
Mühe vor ihr retten, nachdem er einige Gefährten an die
im gegenüberliegenden Felsen hausende S., ein sechsköp-
figes Ungeheuer, verloren hatte. Vgl. ›zwischen S. und
Ch.‹, redensartl. für eine ausweglose Situation.

10,1 *Der Tauwind fegt über die Berge:* Auf den unangemes-
senen Gebrauch mythologischer Begriffe folgt in diesen
Worten sentimental-romantische Naturerfahrung. Dieses
sprachliche Nebeneinander kennzeichnet treffend die
Unreife der Jungen. Das von der Schule vermittelte Bildungsgut ist nur halb verdaut, pubertäre Sentimentalität
steht in scharfem Kontrast zu dem Versuch, die Welt mit
hochtrabenden Vokabeln zu benennen und in Imitation
der Eltern- und Lehrergeneration in den Griff zu bekommen.

10,2 *Dryade:* von griech. drys ›Eiche‹; in der griechischen
Mythologie eine Baumnymphe, meist als jugendliches,
langlebiges, halbgöttliches Wesen vorgestellt. Doch fand
sich bei Griechen und Germanen auch die Vorstellung,
daß die Dryade mit ihrem Baum lebt und stirbt.

10,5 *Knöpf dir die Weste auf, Melchior!:* Moritz schneidet
Melchiors sentimentalen Erguß mit diesem nüchternen
Satz ab, der genauso symbolisch zu verstehen ist wie das
spätere Fensteröffnen bei der Lehrerkonferenz (III,1). Er
bedeutet also soviel wie: ›Komm auf die Erde zurück; hör
mit dem Gerede auf‹.

10,18–25 *wenn ... tragen:* Hier dürfte Moritz zum Sprach-
rohr für Wedekinds pädagogische Reformvorstellungen
geworden sein. In seinem 1895 begonnenen und 1899
während seiner Haft (wegen Majestätsbeleidigung) auf
der Festung Königstein umgeschriebenen utopisch-päd-
agogischen Romanfragment »Mine-Haha oder Über die
körperliche Erziehung der jungen Mädchen« hat er seine
pädagogischen Ideen ausführlicher dargelegt. Vgl. auch
11,28–34.

10,19 f. *im nämlichen Gemach:* im selben Gemach; ›nämlich‹
wurde besonders im 18. Jh. auch adjektivisch gebraucht,
was heute gespreizt klingt.

10,25 *Tunika:* (lat.) im antiken Rom ein langes weißes Ge-
wand für Männer und Frauen, das im Hause ohne, auf
der Straße mit Gürtel getragen wurde.

11,17 f. *die Neugierde würde das Ihrige zu tun auch nicht
verabsäumen!:* Mit der geschraubten Sprache decken die
Kinder das heikle Thema zu, hinter hochgestochener, ge-
drechselter Rede kaschieren sie die Tatsache, daß sie sich
genieren. Das wird auch in den durch Pünktchen ange-
deuteten Auslassungen in diesem Absatz deutlich. Dieselbe Scheu vor dem sexuellen Tabu zeigt sich später
darin, daß Moritz durch Melchior nur schriftlich, nicht
mündlich aufgeklärt werden will.

12,2 f. *Vergangenen Winter ... rührte:* Sadistische Gefühle
(der Freude an Grausamkeit), in denen sich erwachende

Geschlechtsreife äußern kann, zeigen sich hier zunächst im Traume, wo nach Sigmund Freuds Anschauungen das Unbewußte zuerst ins Bewußtsein gehoben wird. Dieser Bericht Melchiors deutet auf das Schlagen Wendlas bei der Begegnung im Walde voraus (I,5; vgl. Anm. zu 27,1).

12,19 *Trikot:* (frz.) enganliegendes, dehnbares Kleidungs-stück; nach dem nordfranzösischen Ort Tricot.

12,22 f. *Georg Zirschnitz träumte von seiner Mutter:* Im Einklang mit Sigmund Freuds Theorien zeigt sich hier der sogenannte Ödipuskomplex, eine sich in früher Kindheit entwickelnde, übersteigerte Bindung des männ-lichen Kindes an die Mutter; benannt nach dem König Ödipus der griechischen Sage, der unwissend seinen Va-ter tötete und seine Mutter heiratete.

12,25 *Galgensteg:* in dieser Ortsbezeichnung Anspielung auf Schuld und Tod, was motivisch im folgenden aufge-nommen wird.

12,29 *Gewissensbisse?? – – – Todesangst!:* Moritz' Ver-ängstigung ergibt sich natürlich aus seinem Mangel an Aufklärung in sexuellen Dingen. Schon jetzt wird aber durch die Wortwahl darauf hingedeutet, daß er dem Tode verfallen ist.

12,35 *Gethsemane:* der Ort des Gebets und der Gefangen-nahme Jesu (Mk. 14,32) am Fuße des Ölbergs bei Jerusa-lem. Hier wird mit der Ortsnennung vor allem auf das Leiden Jesu im Ringen um die Notwendigkeit seines To-des angespielt.

13,7 *Phantome:* (frz.) Trugbilder, gespenstische Erscheinun-gen. Der Gebrauch des Wortes zeigt, daß auch Melchior Fremdwörter nicht immer sicher verwendet. Angemessen wäre ›Phänomene, Symptome‹ oder ›Erscheinungen, Kennzeichen, Merkmale‹.

13,15 f. *Ich hätte mich nicht getraut, jemanden zu fragen:* erneuter Hinweis auf die Tabuisierung des Sexuellen un-ter den Kindern; vgl. Anm. zu 11,17 f.

13,36–14,1 *die dekolletierte Cœurdame aufschlug:* dekolle-tiert: (frz.) mit einem tiefen Kleid- oder Blusenausschnitt; *Cœurdame:* von frz. cœur ›Herz‹, also im Kartenspiel die

Herzdame; ›aufschlagen‹ bedeutet in bezug auf ein Kartenspiel ›aufdecken, offen hinlegen‹.

14,9 *Atheist:* von griech. átheos ›gottlos, die Götter verwerfend‹; jemand, der die Existenz Gottes oder seine Erkennbarkeit verneint, Gottesleugner.

14,11 f. *Gouvernante:* (lat./frz.) Erzieherin, im Haushalt lebende Privatlehrerin.

14,13 *den Kleinen Meyer:* zweibändige Ausgabe des von dem Verlagsbuchhändler Joseph Meyer (1796–1856) in der von ihm begründeten Verlagsanstalt Bibliographisches Institut herausgegebenen Konversationslexikons.

14,16 *Konversationslexikon:* aus lat./frz. conversation ›Umgang, Verkehr, Unterhaltung‹ und griech. lexikon ›Wörterbuch‹; ältere Bezeichnung für ein alphabetisch geordnetes, allgemeinverständliches Nachschlagewerk über alle Wissensgebiete.

14,24 *abblitzen:* keinen Erfolg haben, unverrichteter Dinge abziehen, zurückgewiesen werden.
büffeln: wörtl.: arbeiten wie ein Büffel; schülersprachl. für ›lange, stur, angestrengt lernen, auswendig lernen, pauken‹.

14,29 *so ist die Sache im Blei:* so ist die Sache im Lot, in Ordnung. Ein Lot besteht aus Blei (vgl. ›Senkblei‹).

15,18 f. *in Leilichs anatomischem Museum:* Offenbar handelt es sich hier um eine Zurschaustellung von (angeblichen) Merkwürdigkeiten auf dem Jahrmarkt, wobei der Schausteller Leilich weibliche Nacktheit zu vorgeblich wissenschaftlichen oder volksaufklärerischen Zwecken benutzt.

15,19 *aufgekommen:* bekannt geworden, ans Tageslicht gekommen.

Dritte Szene

15,29–31 *Wie ...! Wie ...! Wie ...!:* rhetorische Wiederholung gleichgebauter Sätze, hier also künstlerische Durchgestaltung der sich sonst als Umgangssprache gebenden Prosa.

16,10 *Ponyhaare:* Bei der Ponyfrisur sind die Haare gleichmäßig geschnitten und in die Stirn gekämmt; Frisur nach Art der Ponymähne, die Ende des 19. und mehrfach im 20. Jh. modern war. Offensichtlich wollten die Eltern Marthas mit der Zopffrisur die Kindlichkeit ihrer Tochter bewahren, ähnlich wie Wendlas Mutter.

16,14 *»Wohl dem, der nicht wandelt«:* Die Anfangsverse des 1. Psalms lauten: »Wohl dem, der nicht wandelt im Rat der Gottlosen, noch tritt auf den Weg der Sünder, noch sitzt, da die Spötter sitzen; sondern hat Lust zum Gesetz des Herrn und redet von seinem Gesetz Tag und Nacht.«

16,15 *rezitierst:* (lat.) auswendig hersagst, laut vorträgst.

16,16–18 *Papa ... Kohlenloch:* Kritik an den Erziehungsmethoden der Eltern, die offensichtlich in ihren pädagogischen Maßnahmen von sadistischen Gefühlen bestimmt sind.

16,21 *Balg:* unerzogenes, unartiges Kind; urspr. ›abgezogenes Tierfell‹.

16,25 *Hemdpasse:* (frz.) über beiden Schultern des Hemdes angesetztes Stück.

16,26 *Atlas:* von arab. atlas ›glatt‹; Seidengewebe besonderer Bindung (Webart) mit hochglänzender Oberfläche und (meist) matter Unterseite.

16,28–31 *Mama riss ... mit uns ...:* Neben der sadistischen Bestrafung durch die Mutter kann das allabendliche gemeinsame Beten nur als konventionelle Heuchelei gedeutet werden.

16,34–37 *Da habe man's ... können ...:* Die Tabuisierung des Geschlechtlichen zeigt sich auch in der Nichtbenennung durch die Eltern.

17,14f. *Ich möchte ganz gern mal für dich in deinem Sack schlafen:* Wendla zeigt hier schon eindeutig masochistische Tendenzen, d. h. ihr geschlechtliches Erwachen äußert sich verdrängt in dem Wunsch nach dem Erleiden von Mißhandlungen. Melchiors latenter Sadismus und Wendlas Masochismus ergänzen einander.

17,27–32 *Wenn ich ... blühn:* Martha vertritt eine aus dem

Protest gegen die elterlichen Erziehungsmethoden gebo-
rene organische, der Natur abgesehene Erziehungstheorie der fast anarchischen Freiheit. Interessanterweise entsprechen Theas in ihrer Entgegnung dargelegte Erzie-
hungsvorstellungen denen ihrer bürgerlichen Umgebung.

18,24 f. *Forstreferendar:* jemand, der Forstwissenschaft stu-
diert hat und im höheren Dienst der Forstverwaltung
nun seine praktische Ausbildung absolviert; ›Referendar‹
von lat. referendarius ›einer, der Bericht zu erstatten hat‹.

18,26–29 *Pfälle ist stolz … als sie ist:* Diese Feststellung enthält bürgerliche Erfolgsideologie im Stolz auf die er-
reichte Karrierestufe, Stolz auf Leistung, in diesem Fall
trotz der niederen Abstammung. Die Freude seitens des
Mädchens über die Verbindung mit dem Forstreferendar
spiegelt ihre Beurteilung der Beziehung nach ebenfalls
rein ökonomischen Gesichtspunkten. Was so äußerlich
als Liebe ausgegeben wird, ist in Wirklichkeit Egoismus
auf der Grundlage bürgerlicher Erfolgsideologie. Diese
Textstelle zeigt damit Wedekinds Kritik bürgerlichen Er-
folgsdenkens, dem er freilich in späteren Jahren selbst
anhing. Damit soll nicht ausgeschlossen werden, daß
Wendlas ›romantische‹ Vorstellung vom Wert des Mannes
den Wert Pfälles ohnehin höher einschätzt.

19,5 f. *So denke … ging: Aristoteles* (384–322 v. Chr.), griechischer Philosoph. Seine Werke umfassen den ganzen
Kreis des antiken Wissens. Im Mittelalter (Thomas von
Aquin) galt er als größte philosophische Autorität. Im
Jahre 343 v. Chr. wurde er von König Philipp von Make-
donien als Erzieher seines Sohnes, des späteren *Alexander* des Großen, an den Hof berufen, wo er Alexander
den Zugang zur griechischen Bildung eröffnete.

19,7–9 *Ich … verkaufte: Sokrates* (470–399 v. Chr.), griechischer Philosoph, Lehrer der vornehmen Jugend Athens,
der wegen angeblicher Einführung neuer Götter und Ver-
führung der Jugend zum Tode verurteilt wurde. Er ist
vorwiegend Ethiker, bei dem sich Tugend auf Wissen und
die Selbstgewißheit des einzelnen gründet. – Nicht aber

S., sondern der antike Philosoph Diogenes von Sinope (in Kleinasien; um 412–323 v. Chr.) wohnte angeblich in einer Tonne. Einer Anekdote zufolge besuchte ihn *Alexander* der Große. Als A. versprach, ihm eine Bitte zu erfüllen, bat ihn Diogenes, aus der Sonne zu gehen. – Der *Eselsschatten* bezieht sich auf die Äsopische Fabel von einem jungen Mann, der sich einen Esel mietete. Als er sich in der Mittagshitze zusammen mit dem Eseltreiber in des Esels Schatten setzen wollte, aber nur für eine Person Platz war, entbrannte ein Streit zwischen beiden um das Anrecht auf des Esels Schatten. Drei antike Motive sind also vermischt.

19,12 *Primus:* (lat.) der Erste, Beste der Klasse.

19,19 *Pralinés:* (frz.) österr. und schweiz. für dt. ›Pralinen‹.

19,22 f. *er glaube an nichts:* Der jugendliche Wedekind hat in seinen Briefen an Adolph Vögtlin vom Juli und September 1881 (s. Kap. IV) seine eigene ähnliche Entwicklung diskutiert; vgl. Anm. zu 41,1–3.

Vierte Szene

20,1 *Weiß der Kuckuck:* ähnlich wie ›zum Kuckuck noch einmal‹ oder ›Hol dich der Kuckuck‹ beschwörende, die Aussage bekräftigende Fluchformel. Nach altem Volksglauben hat der Kuckuck nicht nur wahrsagerische Eigenschaften, sondern er gilt auch als böse, dem Teufel nahestehend, so daß er in diesen Fluchformeln die Funktion des Teufels übernehmen konnte.

20,9 f. *Konferenzzimmer:* (lat.) Zimmer für eine beratende Versammlung, das Treffen aller Lehrer, besonders zur Beratung über Zensuren, Versetzungen usw.

20,19 *Rektorat:* (lat.) hier: der Schulleiter selbst oder jemand, der in seinem Büro arbeitet; die Geschäftsstelle des Rektors.

20,21 *Dietrich:* Drahthaken zum Öffnen von Schlössern, wie er von Einbrechern benutzt wird; scherzhafte Übertragung des Männernamens ›Dietrich‹, seit etwa 1400.

20,23 f. *bekommt er einen Sonntagnachmittag:* muß er einen Sonntagnachmittag nachsitzen bzw. seinen Arrest (im Karzer) absitzen.

20,36 *promoviert:* von lat. promovere ›vorwärtsbewegen‹; hier: in die nächste Klasse versetzt.

21,13 *Höllenschlund:* ›Schlund‹ (ahd. slunt ›Schlucht, Abgrund‹) ist eine tiefe Öffnung, Abgrund, hier also der Eingang der mittelalterlich vorgestellten Hölle.

21,17 *Protokoll:* förmliche Niederschrift, Tagungs-, Sitzungs-, Verhandlungsbericht; mgriech. prōtó-kollon aus griech. prōtos ›der erste‹ und kolla ›der Leim‹ bezeichnet urspr. ein den amtlichen Papyrusrollen ›vorgeleimtes‹ Blatt mit chronologischen Angaben über Entstehung und Verfasser des Papyrus; seit dem 16. Jh. in deutschen Texten in der heutigen Bedeutung.

21,27 *Eselsbank:* Schulbank für die schlechtesten Schüler der Klasse.

21,32 *provisorisch:* (lat.) vorläufig, behelfsmäßig, probeweise.

22,11 *Maulschelle:* Ohrfeige; zu ›Maul‹ und ›schallen‹.

22,14 *Schnack:* (norddt.) Unterhaltung, Plauderei, (albernes) Geschwätz, Gerede; zu niederdt. snak(k)en ›schwatzen‹.

22,19 *Kollega:* lat. collega ›Amtsgenosse‹; also Wahrung der wissenschaftlich-seriöser klingenden lateinischen Endung statt des heute gebräuchlichen ›Kollege‹.

Fünfte Szene

23,1 *Dryade:* vgl. Anm. zu 10,2, womit die Szene durch Wiederaufnahme des Begriffs verbunden ist.

23,6 *Waldmeister:* kleine Pflanze mit quirlig stehenden, schmalen Blättchen und kleinen weißen Blüten, dient als Würze für die Waldmeister- oder Maibowle (*Maitrank*).

23,6–8 *Mama ... Tante Bauer:* Mit dem Gebrauch dieser Worte unterstreicht Wedekind die Kindlichkeit Wendlas.

23,12 *Mattenklee:* ›Matte‹ ist ein poet. Wort für ›Wiese‹; in

Melchior (Gert Voss) und Wendla (Therese Affolter) in der Aufführung Stuttgart 1974. Foto: Madeline Winkler-Betzendahl

den Alpen bedeutet es auch einfach ›Viehwiese‹; hier deshalb wohl schweiz. Spracheinfluß.

23,31 *Runse:* oder ›Runs‹, von ahd. runsa: (oberdt./ schweiz.) Rinne an Berghängen, Bachbett.

24,1–25,14 *Ich habe gehört ... Geächteten:* vgl. Wedekinds Egoismustheorien in seinen Briefen an Adolph Vögtlin vom Juli und September 1881 (s. Kap. IV).

24,1 *du gehest:* Der Gebrauch des Konj. Präs. ist Schriftdeutsch und damit typisch für das oft papierne Deutsch der Kinder in diesem Drama.

24,6 *Taglöhnerfamilien:* Tag(e)löhner sind Arbeiter, die jeweils für einen Tag beschäftigt und täglich entlohnt werden, besonders in der Land- und Forstwirtschaft. Kurze Dauer und Unsicherheit des Arbeitsverhältnisses bringen öfter Armut mit sich als in anderen Berufen.

25,4 *konfirmieren:* von lat. confirmare ›befestigen, (be)stärken‹; in der evangelischen Kirche das Einsegnen, Aufnehmen des Jugendlichen in die Gemeinde nach vorausgegangenem Unterricht in der christlichen Lehre. Mit der Konfirmation wird der Jugendliche zum Abendmahl zugelassen und ist dazu berechtigt, eine Patenschaft zu übernehmen.

25,24f. *dann würd ich geschlagen – geschlagen –:* wiederum masochistische Tendenzen bei Wendla; vgl. 25,35f.; 26,5–7; 26,16–27,1 und Anm. zu 17,14f.

27,1 *Wart, Hexe, ich will dir den Satan austreiben!:* Melchior ist seiner eigenen Gefühle nicht mehr mächtig und rechtfertigt seinen eigenen Mangel an Selbstkontrolle durch ›Verteufelung‹ Wendlas. Der Geschlechtstrieb schlägt hier bei Melchior in Sadismus um. Vgl. Anm. zu 12,2f.

Zweiter Akt. Erste Szene

28,5 *Kanapee:* (frz.) veraltet für ›Sofa‹ (mit Rücken- und Seitenlehne).

28,8 *der besoffene Polyphem:* in der griechischen Mythologie einer der riesenhaften Zyklopen, ein einäugiger Sohn des Gottes Poseidon. Odysseus wurde in Homers gleichnamigem Epos von Polyphem mit zwölf Gefährten gefangengehalten. Nachdem er bereits sechs Gefährten verzehrt hatte, machte ihn Odysseus betrunken und brannte ihm mit einem glühenden Pfahl das Auge aus. Dann verbarg er sich und seine Leute unter den Bäuchen der Schafe in der Höhle des Polyphem und entkam, als dieser die Tiere auf die Weide trieb.

28,12 *Verba auf* μι: Konjugationsklasse (Beugungsklasse) griechischer Verben.

Verba: Pl. von lat. verbum ›(Tätigkeits-)Wort‹.

28,14 *konjugiert:* von lat. coniugare ›verbinden‹; ›ein Verb konjugieren‹ bedeutet ›es beugen, nach Personal- und Zeitformen abwandeln‹.

28,15 *abgeschnappt sein:* hier: plötzlich eingeschlafen sein, plötzlich Schluß gemacht haben.

28,21 f. *Aber ... abgerungen!:* Aber man ist stolz, wenn man seiner Natur etwas abgerungen hat.

28,31–29,2 *Röbel hat ... Irrenhaus:* In diesen Worten zeigt sich der moralische Druck der Eltern, der später (81,4–8) von dem vermummten Herrn als unbegründete Erpressung entlarvt wird.

29,4 *schwindsüchtig:* veralteter, volkstümlicher Begriff für ›an einer zehrenden Krankheit (bes. Lungentuberkulose) leidend‹.

29,4 f. *auf dass der Kelch ungenossen vorübergehe:* Bezug auf Jesu Gebet in Gethsemane (vgl. Anm. zu 12,35), ihm den Kelch, d. h. den Kreuzestod, zu ersparen (z. B. Mt. 26,39). Moritz stilisiert sich wiederholt zum leidenden Christus. Im *auf dass* wörtliche Nachbildung der Lutherschen Bibelsprache.

29,6 *Aureole:* von lat. aureolus ›golden, schön, herrlich‹; Heiligenschein, der die ganze Gestalt umgibt.

29,8 f. *Aber nun ... hinaufschwingen:* wahrscheinlich Bild des Trapezkünstlers im Zirkus, für den sich Wedekind begeisterte.

29,13 *nicht übel Lust:* veraltet für ›(große) Lust‹; ›übel‹ im

Sinne einer Negation ist seit dem Mhd. möglich, ›nicht übel‹ also doppelte Negation (vgl. z. B. ›nicht wenig‹).

29,21 *umflorte Gestalten:* durch (Trauer-)Flor, d. h. dünnen Seidenstoff, verhüllte Gestalten.

29,26 *Warten wir, bis wir Tee getrunken:* vgl. Anm. zu 10,5.

29,28 *Großmutter selig:* (oberdt.) veraltet für ›meine verstorbene Großmutter‹.

29,28–30,15 *die Geschichte … aufgesetzt wird:* Auch Büchners Drama »Woyzeck« enthält in der Szene »Straße« ein grausames Märchen (vgl. Kap. III), das jedoch pessimistisch endet, während Wedekind mit seiner Geschichte eine humane Welt für möglich hält, die aber – Schuld der von den Erwachsenen geschaffenen Verhältnisse – utopisch bleiben muß. So kann sich sein Märchen nur negativ erfüllen: Moritz wird, entgegen seiner Hoffnung, ihm werde vielleicht *noch mal einer aufgesetzt*, mit dem Kopf unter dem Arm enden. (Vgl. auch 45,34 f.; 59,9 und 60,30 f.: die *über und über mit Blut besprengt[en]* Königskerzen.)

30,3 *disputierten:* von lat. disputare ›in Worten (gelehrt) streiten, seine Meinung gegeneinander verfechten‹.

30,32 *als ein korrektes Mittelhochdeutsch:* Die Ironie, die nicht von Frau Gabor, wohl aber von Wedekind in diesen Worten eingeschlossen ist, liegt darin, daß Mittelhochdeutsch, eine Entwicklungsstufe der deutschen Sprache etwa vom 12. bis 15. Jh., eine ›tote‹ Sprache ist; *korrektes Mittelhochdeutsch* bedeutet hier also soviel wie ›unsinnige schulische Forderung‹.

31,3 *Nervenfieber:* veraltet für ›Typhus‹, eine Infektionskrankheit, die besonders jüngere Menschen trifft.

31,13 *»Faust«:* Die Lektüre von Goethes Drama »Faust« (gemeint ist hier nur der Erste Teil) galt früher wegen der angeblich heiklen Thematik und sexueller Anspielungen für jüngere Schüler als gefährlich. Das Drama wurde deshalb normalerweise erst in einer der letzten Klassen des Gymnasiums besprochen. Zur Quellenfunktion des »Faust« vgl. Kap. III.

31,16 *Walpurgisnacht:* Szene in Goethes »Faust« I mit zahlreichen sexuellen Anspielungen. Die Walpurgisnacht ist die Nacht zum 1. Mai, dem Tag der Heiligen Walburga (gest. 799), in der sich nach altem Volksglauben die Hexen auf dem Blocksberg (Brocken im Harz) treffen und dort tanzen.

32,3 f. *die Geschichte mit Gretchen:* Die sogenannte Gretchen-Tragödie in »Faust« I: Faust verführt das Bürgermädchen Gretchen. Gretchen tötet in Verzweiflung das Kind, das sie geboren hat, um der Ächtung durch die Gesellschaft zu entgehen, und wird hingerichtet. Wedekind spielt wegen der Teilparallelen zu Wendlas Schicksal darauf an.

32,16 *P... und V...:* Gemeint sind wohl lat. penis ›das männliche Glied‹ und vagina ›die Scheide, das weibliche Geschlechtsorgan‹.

32,20 *Plötz:* Die »Hauptdaten der Weltgeschichte«, der »Kleine Ploetz«, erschienen 1855 zum ersten Mal. Der »Große Ploetz« trägt den Titel »Auszug aus der Geschichte« (1863). Beide Bücher sind Nachschlagewerke des Gymnasiallehrers Karl Ploetz, die bis heute zahlreiche Auflagen erlebt haben.

32,31–34 *Unrecht leiden ... Seligkeit:* Auch Moritz zeigt hier masochistische Tendenzen. – Im altmodischen Gebrauch von *denn* als Vergleichspartikel zeigen sich wiederum Anklänge an Luthers Bibeldeutsch.

33,12 *Nektarkelch:* Trinkgefäß, das mit Nektar, in der griechischen Mythologie einem Unsterblichkeit verleihenden Göttertrank, gefüllt ist.

Zweite Szene

33,20 *Mantille:* (span.) Schulterumhang für Frauen, halblanger Damenmantel; auch: Spitzenschleier oder -tuch über Kopf und Schultern.

33,23 *Korsett:* (frz.) mit Stäbchen versehenes Mieder, Schnürleib zur vorteilhaften Formung der Figur.

34,5 *Influenza:* von ital. influenza ›Beeinflussung, Einfluß‹
(durch die Sterne, in deren Konstellation nach altem
Aberglauben die Ursache für Krankheiten zu suchen ist)
nach lat. influere ›hineinfließen‹; seit dem 18. Jh. Sammel-
begriff für Erkältungskrankheiten, heute durch das Wort
›Grippe‹ (mit gleicher Bedeutung) verdrängt.

34,10 f. *So geht's ... wohnt!:* d. h. in der Nähe des Storchs,
der angeblich die kleinen Kinder bringt und besonders
gern auf hohen Kirchendächern nistet.

34,11–13 *Morgen ... hinanstieg:* Da die Schwester binnen
zwei Jahren drei Kinder zur Welt gebracht hat, dürfte sie
im fortgeschrittenen Schwangerschaftsstadium geheiratet
haben, um eine uneheliche Geburt zu vermeiden. Wendlas Pech bei ihrer späteren Schwangerschaft ist deshalb
nur, daß sie und Melchior zu jung sind, um heiraten zu
können, also von dieser im Bürgertum üblichen und allgemein akzeptierten Praxis der nachträglichen Legitimie-
rung vorehelichen Geschlechtsverkehrs nicht Gebrauch
machen können. Der Fall der Schwester zeigt deutlich,
daß es Frau Bergmann nur um die Wahrung des äußeren
Scheins geht; vgl. auch 70,26 f.

35,8–14 *Ein Mann ... Ecke ...:* Wendla setzt dem Storchen-
märchen der Mutter ihre eigene Phantasie entgegen, um
sie zur Aufklärung zu zwingen.

35,12 *Bettlade:* (oberdt.) Bett(gestell).

35,13 *die Wacht am Rhein:* deutsches National- und Kriegs-
lied, das 1840 von Max Schneckenburger (1819–49) gedichtet wurde, als die Gefahr bestand, daß Frankreich
durch einen europäischen Krieg die Rheingrenze wieder-
herstellen wollte, und das 1870 mit dem Deutsch-Franzö-
sischen Krieg, der zur Einigung Deutschlands führte,
durch die Vertonung Karl Wilhelms (1815–73) vom Jahre
1854 seine Bedeutung erhielt.

35,21 *ein traurig Ding:* volkstüml. für ›ist es schlecht be-
stellt, steht es nicht gut‹.

35,22 *seit zwei und einem halben Jahre verheiratet:* Wider-
spruch zu Frau Bergmanns Feststellung in 34,12.

36,28 *ekstatisch:* (griech.) begeistert, verzückt; hier etwa: außer sich.

37,2 f. *Um ... lieben:* Indem Frau Bergmann für eine Mutterschaft vorherige Eheschließung und Liebe zur Voraussetzung macht, belügt sie ihre Tochter und wird für deren spätere Schwangerschaft (mit)verantwortlich.

37,16 *Schnürstiefel:* Stiefel zum Schnüren, wie sie in der zweiten Hälfte des 19. Jh.s modisch waren.

37,17 *Matrosentaille:* Seit der zweiten Hälfte des 19. Jh.s war ein der Matrosenuniform nachgebildetes Matrosenkleid (für Jungen ein Matrosenanzug) modern.

37,23 *Volants:* vgl. Anm. zu 8,7.

Dritte Szene

37,27 *öffnet den Deckel:* Hänschen Rilow befindet sich auf dem Abort.

37,27 f. *Hast du zu Nacht gebetet, Desdemona?:* Zitat aus Shakespeares Drama »Othello«, V,2 (vgl. Kap. III). Durch solche wörtlichen Anklänge an diese Szene des Shakespeareschen Dramas, in der Othello seine Frau Desdemona ermordet, weist Wedekind wieder darauf hin, wie mangelhaft die Schüler traditionelles Bildungsgut zu verarbeiten imstande sind. Ihre Phantasie greift wahllos auf, was sich ihr bietet, und mißversteht es, weil ihnen das wirkliche Verständnis von den Erwachsenen vorenthalten wird.

37,28 *Venus:* Die Venus war urspr. die altitalische Göttin des Gartenbaus. Da ihr Name mit ›Liebreiz‹ und ›sinnliches Begehren‹ übersetzt wurde, setzte man sie schon früh mit der griechischen Göttin Aphrodite gleich. In nachantiker Zeit wurde sie (seit der Renaissance) sehr oft dargestellt.

37,29 *Palma Vecchio:* Iacopo Negretti (Nigretti), genannt Palma (il) Vecchio (›Palma der Alte‹, um 1480–1528), italienischer Maler, einer der Hauptmeister der venezianischen Hochrenaissance. Seine »Venus« kannte Wedekind aus dem Dresdener Zwinger. Vgl. seinen Brief vom 7. Januar 1893 an seine Mutter (s. Kap. IV).

37,30 *kontemplativ:* (lat.) betrachtend, beschaulich.

37,32 *Jonathan Schlesinger:* fiktiver Name eines Kunsthändlers.

38,5 *Diwan:* niedriges Liegesofa, Ruhebett mit Rückenlehne; das Wort wurde im 18./19. Jh. durch romanische (ital./frz.) Vermittlung aus dem Türk. entlehnt.

38,10–12 *während ... beginnt:* Die Bildersprache macht überdeutlich – was von Interpreten oft übersehen wird –, daß Hänschen Rilow sich bei seiner Bilderermordung selbst befriedigt.

38,13 *Die Sache will's! – Die Sache will's!:* ebenfalls Zitat aus Shakespeares »Othello«, V,2 (vgl. Kap. III). Der Tötung der Desdemona bei Shakespeare entspricht die Vernichtung der Reproduktionen bei Wedekind, offensichtlich eine sadistische Verdrängungserscheinung.

38,14 *frivoler:* (frz.) leichtfertiger, zweideutiger, schlüpfriger.

38,27 *Psyche:* (griech.) ›Hauch, Leben, Seele, das seelischgeistige Leben eines Menschen‹; in der Kunst oft als kleine, geflügelte menschliche Gestalt, häufig als Geliebte des Liebesgottes Amor, dargestellt.

38,28 *Thumann:* Der deutsche Maler Paul Th. (1834–1908), Professor an mehreren Kunstakademien (Weimar, Dresden, Berlin), malte vor allem Illustrationen, in denen er weibliche Gestalten der Literatur im Sinne des Schönheitsideals seiner Zeit darstellte.

38,29 *Angelique:* vermutl. Name von Hänschen Rilows ehemaligem französischen Kindermädchen.

38,30 *Io:* in der griechischen Mythologie Tochter des Flußgottes und Königs von Argos Inachos; Priesterin der Hera und Geliebte des Zeus, die von Hera aus Eifersucht verfolgt wurde.

Correggio: Antonio Allegri, genannt C. (um 1484–1534), italienischer Maler; seine Frauengestalten sind von weicher sinnlicher Eleganz.

38,30 f. *Galathea:* in der griechischen Mythologie eine
Tochter des Meergottes Nereus, also eine Meernymphe,
deren, je nach der Quelle, mehr oder weniger erfolgrei-
cher Liebhaber der Zyklop Polyphem war (vgl. Anm. zu
28,8).

38,31 *Lossow:* Heinrich L. (1843–97), deutscher Maler, der
meist Genrebilder (d. h. Bilder aus dem täglichen Leben)
mit z. T. pikanten Stoffen malte, die vielfach dem Rokoko
des 18. Jh.s entnommen waren.

Amor: lat. Name des griechischen Liebesgottes Eros, in
der bildenden Kunst meist als geflügelter Knabe dargestellt.

Bouguereau: Adolphe William B. (1825–1905), französischer Maler, der sowohl mythologische und religiöse Szenen als auch Genrebilder von photographischer Treue
schuf.

38,32 *Ada:* Gräfin von Holland (Regierungszeit 1203 – etwa
1223).

32,31 f. *I. van Beers:* Ian van B. (1852–1927), belgischer Maler, der als Historienmaler begann und sich später zum
Genre-, Porträt- und Landschaftsmaler entwickelte.

32,31 f. *Leda:* in der griechischen Mythologie Gemahlin des
spartanischen Königs Tyndareos, u. a. Mutter der Helena,
der Geliebten des Zeus, der sich ihr in Gestalt eines
Schwanes nahte.

Makart: Hans Makart (1840–84), österreichischer Maler,
Professor an der Akademie in Wien; malte großforma-
tige, prunkvolle Bilder historischen und allegorischen Inhalts.

38,35 f. *Kollegienheften:* Ein Kolleg (von lat. collegium) ist
eine Vorlesung oder wissenschaftliche Übung (Seminar)
an einer Hochschule. ›Kollegienheft‹ ist ein älterer Ausdruck für ein Heft, in dem der Student das im Kolleg Gehörte mitschreibt.

39,2 *Tartarus:* oder ›Tartaros‹: in der griechischen Mythologie der Abgrund, in den Zeus seine Gegner, vor allem die
Titanen, stürzte. Nach Homer lag der Tartarus weit un-

terhalb der Unterwelt; später wurde er als ihr tiefster Teil angesehen.

39,8 *Blaubart:* redensartl. für ›Frauenmörder‹. »Barbebleue« ist der Titel eines zuerst 1697 von dem französischen Schriftsteller Charles Perrault (1628–1703) in den »Contes de ma mère l'Oye« erzählten Märchens von einem Ritter dieses Namens, der seiner jungen Frau verbietet, ein bestimmtes Zimmer zu betreten. Als sie es trotzdem tut, findet sie darin die Leichen ihrer Vorgängerinnen. Als Blaubart sie töten will, wird sie im letzten Augenblick von ihren Brüdern gerettet.

39,13 *residierst:* (lat.) deinen Wohnsitz hast (besonders auf regierende Fürsten bezogen).

39,14 *Lurlei:* Lorelei, Loreley oder Lore Lay: von mhd. lûre ›Hinterlistiger‹ und lei ›Schiefer, Fels‹; urspr. Ortsbezeichnung für einen hohen Schieferfelsen am Rhein bei Sankt Goarshausen. Der Romantiker Clemens Brentano (1778–1842) wurde durch eine Rheinreise zur Erfindung der Phantasiegestalt der Lore Lay angeregt, die in seiner Ballade »Lore Lay« (1801) als bestrickend schönes Mädchen beschrieben wird, das seine magische Anziehungskraft verflucht und sich von einem Felsen in den Rhein stürzt. Von mehreren deutschen Romantikern übernommen, wurde die Gestalt durch Heinrich Heines (1797–1856) Gedicht »Loreley« (1824) volkstümlich; hier ist die Lorelei eine auf dem Felsen sitzende Wasserfrau, die die Schiffer auf dem Rhein ins Verderben lockt.

Bodenhausen: Cuno Freiherr von B. (1852–?), Maler romantisch-sentimentaler Figurenbilder.

39,15 *Linger:* Friedrich Wilhelm L. (1787–?), Kupferstecher und Radierer, der vor allem Porträts schuf.

Loni: oder ›Lonny‹: weiblicher Vorname, Koseform zu ›Leonie‹ oder ›Eleonore‹.

39,15 f. *Defregger:* Franz von D. (1835–1921), aus Tirol gebürtiger Maler sentimental-idealisierender Bilder des Tiroler Bauernlebens und der Tiroler Geschichte.

39,18 *Josaphat*: Im Alten Testament (Joel 3,7) ist das Tal Jo-

saphat der Ort des (Jüngsten) Gerichts Gottes über die
Heiden. Hänschen Rilow gebraucht den Begriff meta-
phorisch für den weiblichen Schoß.

39,22 *Heliogabalus:* oder ›Elagabal‹: römischer Kaiser (218–
222), der wegen seines ausschweifenden Lebens schnell in
Verruf kam und nach Brüskierung der römischen Tradition – er stellte den Sonnengott Elagabal an die Spitze der
römischen Götter – bei einem Aufstand der Garde ermordet wurde.

39,22 f. *Moritura me salutat!:* (lat.) Die Todgeweihte grüßt
mich; Abwandlung eines Sueton-Zitats aus dessen Biographie des römischen Kaisers Claudius (41–54): »Ave,
Imperator, morituri te salutant!« (»Heil dir, Kaiser, die
Todgeweihten grüßen dich!«)

39,36 *die heilige Agnes:* römische Märtyrerin (gest. 258/59
oder 304). Weil sie, eine schöne Christin, der Legende
nach die Ehe mit dem Sohn des römischen Stadtpräfekten
ausschlug, wurde sie in ein Bordell gebracht, blieb aber
auch da unversehrt und wurde als Zauberin enthauptet.

40,6 f. *Lasst sie mich euch nicht nennen, keusche Sterne!:* Zitat aus Shakespeares »Othello«, V,2 (vgl. Kap. III).

Vierte Szene

40,19 *Tenne:* festgestampfter oder gepflasterter Platz, meist
in der Scheune zum Dreschen des Getreides.

40,22 *Matte:* vgl. Anm. zu 23,12.

40,26 *Bahrtuch:* Leichentuch.

41,1–3 *O glaub mir … liebst:* vgl. Wedekinds Egoismustheorien, wie er sie in seinen Briefen an Adolph Vögtlin vom August und September 1881 entwickelt hat
(s. Kap. IV). Rothe (»Frank Wedekinds Dramen«, S. 24)
weist auf die »diskursive Gedankenführung Melchiors in
den rhetorischen Figuren von These, Begründung und
Spezifikation« hin, die in »Kontrast zu seinem leiden-
schaftlichen Handeln« ständen.

Fünfte Szene

41,25 *Impulsen:* (lat.) (An-)Regungen, Anstößen.

41,30 *rigorose:* (lat.) sehr strenge, harte, unerbittliche.

42,5 *unlauterer Mittel:* unanständiger, unehrlicher Mittel.

42,11–14 *dass ich mir ... gewärtig gewesen wäre:* daß ich ... von Ihnen erwartet hätte.

Sechste Szene

Vgl. hierzu »Faust« I,3374–3413 (»Gretchens Stube«, s. Kap. III).

43,13 *Pelücheteppich:* von frz. peluche ›Wollsamt‹; langfloriger, samtartiger Teppich.

Siebente Szene

43,23 *Riedgras:* grasähnliche Pflanzen. Wedekind verwendet das Wort wahrscheinlich im volkstümlichen Sinne von ›Gräser mit sumpfigem Standort‹.

43,25 *Ich passe nicht hinein:* Gemeint ist: in die Welt, in die bürgerliche Gesellschaft.

43,26 f. *Ich ziehe ... Freie:* Ich begehe Selbstmord; wobei der Freie des Todes die Enge, das Bedrückende des Lebens in der Gesellschaft der Elterngeneration entgegengesetzt wird.

44,9 *einen tollen Hund:* einen an der Tollwut erkrankten Hund.

44,11 f. *dann bin ich menschlich und ...:* zu ergänzen: töte ihn, gebe ihm den Gnadenstoß.

44,22 f. *»schlafe, mein Prinzchen, schlaf ein«:* Wiegenlied der Fatme in dem Schauspiel »Esther« (1789, gedruckt 1795) von Friedrich Wilhelm Gotter (1746–97); Melodie (1796) von Bernhard Flies (um 1770–?), von einigen Forschern auch Mozart zugeschrieben.

44,24 f. *Cäcilienfest:* Fest zu Ehren der heiligen Cäcilie, einer römischen Märtyrerin (gest. 230?), die seit dem 15. Jh. als Patronin der Kirchenmusik verehrt wird.

44,26 *Partien:* hier: Heiratsmöglichkeiten; vgl. ›eine gute Partie machen‹ (›sich finanziell vorteilhaft verheiraten‹). Der lächerliche Name *Snandulia* ironisiert auch die Absichten der zweifelhaften Sängerin.

44,31 *Das wäre etwas, was mich noch fesseln könnte:* Moritz bezieht sich hier und in den folgenden Zeilen auf den Geschlechtsverkehr.

44,32–45,4 *Es muss … gesehn?!:* Die hier in Moritz deutlich werdende Fixierung Wedekinds auf den Geschlechtsverkehr als das Wichtigste, Menschlichste im Leben des einzelnen weist ihn als Anhänger des gegen Ende des 19. Jh.s populären Lebenskultes aus. Der Geschlechtsakt erscheint so als höchste Lebenssteigerung, als Erfahrung des Lebens in seiner größten Intensität.

45,9 f. *Einen Grabstein werd ich wahrscheinlich nicht bekommen:* Als Selbstmörder hat Moritz selbst nach evangelischem Kirchenrecht Glück, überhaupt eine kirchliche Beerdigung zu bekommen. Daß sein Andenken durch einen Grabstein geehrt wird, kann er nicht erwarten. Zur christlichen Beurteilung des Selbstmordes vgl. Anm. zu 57,3–6.

45,11 *Marmorurne:* Diese Urne dachte sich Moritz wohl nicht als Gefäß zur Aufnahme seiner Asche nach Verbrennung seiner Leiche, sondern eher als dekorativen Teil seines Grabmals.

Syenitsockel: Syenit, ein körniges Tiefengestein aus Alkalifeldspat, findet als Bau- und Dekorationsstein Verwendung.

45,28–30 *Ich wandle … erkauft: Etrurien,* antike Landschaft im westlichen Mittelitalien, deren Gebiet etwa die heutige Toskana umfaßte; benannt nach dem Volk der Etrusker, das bis ins 4. Jh. v. Chr. in Italien eine führende Stelle einnahm. Wedekinds Anspielung auf etruskische Menschenopfer ist ein Mißverständnis des altitalischen Ritus des sogenannten Ver sacrum (lat., ›heiliger Früh-

ling‹), wobei in schweren Zeiten alles, was im Frühling
(März, April) geboren war, den Göttern geweiht wurde.
Menschen, die im Ver sacrum geboren waren, mußten
nach Erreichung des 21. Lebensjahres die Gemeinde (zu
Kolonisationszwecken) verlassen.

45,34 *die kopflose Königin:* vgl. Anm. zu 29,28–30,15.

45,36–46,1 *Eure Gebote ... in mir:* Gegenüber den Geboten
des Christentums, die äußerlich die Gebote der hier an-
geprangerten Gesellschaft waren und die den Selbstmord
verurteilen (vgl. Anm. zu 57,3–6), erklärt sich Moritz für
frei und aufgeklärt. Die Anklänge an Immanuel Kants
(1724–1804) berühmte Definition von ›Aufklärung‹ als
»Ausgang des Menschen aus seiner selbstverschuldeten
Unmündigkeit« sind offensichtlich.

46,1 *Freibillet:* (frz.) Freifahrkarte, Freikarte. Moritz meint
die Fähigkeit zum freien Entschluß, dieses Leben zu verlassen.

46,1–4 *Sinkt ... Geschmacksache:* Durch Vermischung ver-
schiedener Bilder und Anspielungen ist diese Stelle dunkel. *Schale* ist hier wohl als äußere Schale, Hülle, also als
Körper des Menschen gemeint, der Falter als Seele, die
sich im Tode befreit. In der griechischen Antike wurde
Psyche (›Hauch, Leben, Seele‹) oft als Schmetterling, besonders als Nachtfalter dargestellt. *Trugbild* bedeutet hier
wohl ›die reale Erscheinung des Lebens‹ in ihrer Vergäng-
lichkeit und Veränderlichkeit. Mit *Schwindel* wäre dann
ebenfalls das reale Leben gemeint. Wenn *der Nebel zerrinnt,* wird die Sicht klarer; Moritz gewinnt also an-
gesichts des Todes Einsicht in die Scheinhaftigkeit des
menschlichen Lebens.

46,2 *geniert nicht mehr:* (frz.) stört nicht mehr, steht nicht
mehr im Wege.

46,5 *Ilse (... Schulter):* Heinrich Heine (1797–1856) beschreibt in »Die Harzreise« (1824) den Fluß Ilse als Mädchen (»die liebliche, süße Ilse«), als eine Prinzessin, die
ihn, den Dichter, zum Lebensgenuß auffordert (vgl.
Kap. III). Rothe (»Frank Wedekinds Dramen«, S. 28)

weist darauf hin, daß auch Wedekinds Ilse mit dem Fluß in enger Beziehung steht: »Ilse berichtete den Mädchen vom Hochwasser [15,32 f.]; in der Szene, in der sie Moritz verlockt, ›hört man den Fluß rauschen‹ [43,24]. Ilse hört den Schuß, nachdem sie über die Brücke gegangen war; als sie am Morgen wieder am Fluß vorbeikommt, nimmt sie Moritz die Pistole fort [60,25 f.].« Vgl. auch Wedekinds späteres Gedicht »Ilse« (s. Kap. II).

46,16 *Sakerment:* lautliche Eindeutschung von ›Sakrament‹ (lat.), das, als Fluch verwandt, soviel wie ›Donnerwetter‹ bedeutet.

46,22 *Priapia:* Eine Männergesellschaft oder Künstlerloge, deren Name auf den griechischen Fruchtbarkeitsgott Priapus (griech. Priapos) anspielt. Er wurde mit übergroßem männlichen Geschlecht dargestellt. Sein Kult verbreitete sich seit dem 3. Jh. v. Chr. über die griechische, dann über die römische Welt.

46,28 *Säulenheilige:* asketische Mönche, besonders im Syrien und Palästina des 4. bis 6. Jh.s, die ihr Leben einsam auf einer Säule zubrachten, um Gott näher zu sein.

46,29 *korinthischen Kapitäl:* heute öfter ›Kapitell‹, von lat. capitellum ›Köpfchen‹: der oberste Teil einer Säule, zwischen Stütze und Last. Charakteristisch für das korinthische Kapitell sind blattförmige Verzierungen.

46,30 *verhauene Nudel:* etwa: verrückter Kerl, komischer Vogel, der alles falsch macht.

46,31 *Tube:* Gemeint ist eine Tube mit Ölfarbe.

46,32 *Palette:* (frz./ital.) meist ovales, mit einem Daumenloch versehenes Brett zum Mischen der Farben beim Malen.

46,33 *Staffelei:* von Staffel (›Stufe‹), da die Höhe verstellbar ist; Gestell, Gerüst, auf dem das Bild beim Malen steht. *Malstock:* oder ›Malerstock‹: ein Stock, mit dem der Maler die pinselführende Hand unterstützt.

46,35 *Atelier:* (frz.) Werkstatt eines bildenden Künstlers, d. h. eines Malers, Bildhauers usw.

46,36 *Amnestie:* (griech./lat.) Straferlaß, Begnadigung.

47,7 f. *seinen Pestkranken:* d. h. das Bild, Gemälde von einem Pestkranken.

47,9 *Kindesmörderin:* »Die Kindesmörderin« ist der Titel eines Gedichtes von Friedrich Schiller (1759–1805) aus dem Jahre 1780 oder 1781. Das Thema der verlassenen Mutter, die ihr Kind tötet, wurde in der Dichtung des Sturm und Drang häufig abgehandelt. Mit der Nennung des Liedes wie mit der Gretchen-Tragödie wird auf einen thematisch verwandten Stoff angespielt. Vgl. auch Anm. zu 32,3 f.

47,16 *Räuber:* Gemeint ist hier wahrscheinlich das Kinderspiel »Räuber und Gendarm«, bei dem die »Gendarmen« die »Räuber« aufspüren und gefangennehmen müssen.

47,26 f. *Er braucht ... Christuskind:* d. h. als Modell zu einem Gemälde dieses Titels. Der Kontrast zwischen dem Charakter Ilses (und ihrer Freunde) und dem Stoff der Bilder, zu denen sie Modell sitzt, könnte nicht krasser sein.

47,27 *Tropf:* einfältiger, armer Kerl.

47,28 *Wetterhahn:* eine Wetterfahne in Form eines Hahnes, zum Anzeigen der Windrichtung.

Katzenjammer: heute: ›Kater‹; schlechtes Befinden als Nachwirkung der Trunkenheit.

47,33 *Biernymphe:* eine Nymphe, die im Bier (statt im Wasser) schwimmt. ›Nymphen‹ waren in der griechischen Mythologie weibliche Natur-, vor allem Wassergottheiten. Vgl. auch Anm. zu 10,2.

Andalusierin: in Volkstracht vorgestellte Bewohnerin der südspanischen Landschaft Andalusien.

48,2 *Redoute:* (frz.) veraltet für ›Maskenball‹ (bes. österr.) auch der Saal, in dem eine Tanzveranstaltung oder eine andere Festlichkeit stattfindet.

48,2 f. *Bellavista:* (ital.) schöne Aussicht; wahrscheinlich Name eines Lokals.

48,3 *Tingl-Tangl:* oder ›Tingel-Tangel‹: lautlich der Musik von Beckenschlag und Schellenbaum nachgebildet, Varieté oder Tanzlokal niederen Ranges.

48,14 *Arrangement:* (frz.) Aufmachung, (künstlerische) Anordnung.

48,15 *Ariadne:* in der griechischen Mythologie eine Tochter des Königs Minos. Sie gab Theseus ein Garnknäuel, mit dessen Hilfe er nach der Tötung des Ungeheuers Minothauros aus dem Labyrinth wieder herausfand, und flüchtete mit ihm, aber er ließ sie auf der Insel Naxos zurück. Hier fand sie Dionysos und machte sie zu seiner Gattin.

Leda: vgl. Anm. zu 38,35.

Ganymed: in der griechischen Mythologie ein Jüngling aus troischem Königsgeschlecht, der wegen seiner Schönheit als Geliebter und Mundschenk des Zeus in den Olymp entführt wurde.

48,16 *Nebuchod-Nosor:* oder ›Nebukadnezar‹: Gemeint ist hier der Chaldäerkönig Nebukadnezar II. (605–562 v. Chr.), der 586 Jerusalem zerstörte und voller Pracht in Babylon residierte. Zahlreiche Legenden bildeten sich um ihn bzw. wurden auf ihn übertragen. So verliert Nebukadnezar in Dan. 4,29 f. sein Königreich und ißt »Gras wie Ochsen«. Ilses Anspielung bezieht sich wohl hierauf.

48,19 *Spitzkugeln:* kegelförmige Geschosse.

48,27 *Plafond:* (frz.) Decke eines Raumes.

Kabinett: (frz.) kleines Gemach.

48,34 *Absinth:* (griech.) Likör oder Branntwein aus Wermut mit Anis- und Fenchelzusatz; infolge von allerlei Beigaben gesundheitsschädlich. Um die Jahrhundertwende war Absinth in der Schweiz und in Frankreich besonders beliebt. Heute ist er in den meisten europäischen Ländern verboten.

49,2 *Hauptwache:* Polizeiwache, -wachstube.

49,4 *Fiaker:* (österr.) Mietkutsche, Pferdedroschke; so benannt nach dem Hôtel St. Fiacre in Paris, in dem man seit 1640 Lohnkutscher mieten konnte.

49,6–8 *Fehrendorf ... Kamel:* Die *Horde* wird hier bewußt vergleichend als tierhaft beschrieben, im Einklang mit dem animalischen, ihren Instinkten (Geschlechtstrieb) folgenden Leben, das sie führt.

49,15–18 *Ich will … kannst:* Moritz versteht nicht, daß ihm Ilse ›Leben‹ anbietet, Geschlechtsverkehr mit ihr. Sie reagiert deshalb auf seine auf Klärung drängende Frage mit Ironie, indem sie ihm als seinem Horizont angemessen Kinderspiele beschreibt. Über die Funktion und Absicht Ilses wird Moritz erst 81,20–22 von dem vermummten Herrn aufgeklärt.

49,17 *Hü-Pferdchen:* in der Kindersprache (vom Kutscherruf ›Hü!‹) ein Spielzeugpferd.

49,19 *Sassaniden:* persische Herrscherdynastie (3.–7. Jh. n. Chr.).

49,20 *Bergpredigt:* Predigt Jesu auf einem nicht näher bezeichneten Berg (Mt. 5–7), die u. a. das Vaterunser und das Gebot der unbedingten Nächstenliebe enthält.
Parallelepipedon: von griech. epi ›auf‹ und pedion ›Ebene‹: von drei Paaren paralleler Ebenen begrenzter Raumteil, z. B. ein Würfel oder Rhomboeder.

49,22 f. *Wigwam:* (indian.) Hauszelt der nordamerikanischen nomadischen Indianer.

49,23 *Tomahawk:* (indian.) Streitaxt der nordamerikanischen Indianer.

49,24 *Bis es an euch kommt, lieg ich im Kehricht:* Ilse ist sich durchaus darüber im klaren, daß ihr Lebensstil zu keinem guten Ende führen wird. Wedekind hat also mit der Gestalt Ilses keine Verherrlichung des Freudenmädchens beabsichtigt. Ein freies Ausleben des Geschlechtstriebes der natürlichen Triebe des Menschen, ist seiner damaligen Ansicht nach innerhalb der bürgerlichen Gesellschaft nicht möglich. In seiner Lulu-Tragödie hat er den Zusammenstoß zwischen Trieb und Gesellschaft (mit demselben Resultat) zum Thema gemacht.

49,26 *Ein Wort hätte es gekostet:* Zu spät erkennt Moritz seine verpaßte Chance, *das Menschlichste* kennenzulernen.

49,35 *Glacé-Handschuhen:* Handschuhe aus Glacé-Leder, feinem, glänzendem Zickel- oder Lammleder; im 19. Jh aus frz. glacé ›Glanz‹ entlehnt, das urspr. Part. Perf. von glacer ›vereisen, erstarren machen‹ war.

50,7 f. *Freudenmädchen ... Jammerweg:* bewußt antithetische Wortwahl.

50,13 *Königskerzen:* meist wildwachsende Blume. Die Blüten, die meist gelb, seltener weiß oder purpurfarben sind, stehen in großen Trauben. Vgl. Anm. zu 29,28–30,15.

50,21 f. *Jetzt ist es ... Hause:* Die Natur ist im Einklang mit Moritz' Stimmung. Er wird nicht mehr nach Hause gehen, weil er Selbstmord begehen wird.

Dritter Akt. Erste Szene

51,3 f. *Pestalozzi ... Rousseau:* Johann Heinrich P. (1746–1827), schweizerischer Pädagoge, Sozialreformer und Schriftsteller. Jean-Jacques R. (1712–78), französischer Schriftsteller, Staatswissenschaftler und Pädagoge; Aufklärer, u. a. Verfasser des erzählerisch angelegten pädagogischen Lehrbuches »Émile«, das neuzeitliche Erziehungstheorien nachhaltig beeinflußt hat. – Beide Schriftsteller vertreten eine fortschrittliche Pädagogik ohne Repressionen; Ironie, daß ihre Porträts in *diesem* Konferenzzimmer hängen.

51,13 *Relegation:* (lat.) Verweisung eines Schülers oder Studenten von der Schule bzw. Universität.

52,1 f. *dass es ... öffnen:* Wedekind benutzt die Frage des Fensteröffnens im übertragenen Sinne von: neue Ideen, Gedanken hereinlassen. In der langwierigen Diskussion um diese im äußerlichen Sinne belanglose Frage macht er das Lehrerkollegium lächerlich und charakterisiert gleichzeitig die muffige Atmosphäre der Versammlung. ›Aufgeschlossenheit‹ wird Melchior hier kaum finden.

52,4 *Katakomben:* (spätlat.) altchristliche unterirdische Begräbnisstätten (besonders in Rom und Neapel).

52,5 *weiland:* veraltet für ›ehemals, einstmals, vormals‹.

52,5 f. *Wetzlarer ... Kammergerichtes:* das von Kaiser Maximilian begründete Reichskammergericht, der oberste Ge-

richtshof des Deutschen Reiches, der von 1693 bis 1806
seinen Sitz in Wetzlar hatte. Goethe, der 1772 am Reichskammergericht praktizierte, hat in seiner Autobiographie
»Dichtung und Wahrheit« (3. Teil, 12. Buch) dessen
Schwächen dargestellt. Auf Erlebnisse Goethes in Wetzlar geht auch sein Briefroman »Die Leiden des jungen
Werthers« (1774) zurück. Werthers Selbstmord soll eine
wahre Selbstmordepidemie ausgelöst haben, wie sie jetzt
der Rektor befürchtet (51,26 f.).

52,8 *Befehlen:* untertänige, veraltete Kurzform für ›Was befehlen Sie‹. Die stehende Wiederholung der Formel durch
den Pedell entlarvt die militärische Geistlosigkeit des
Schulsystems. Die grotesken Wiederholungen im Dialog
Sonnenstich–Habebald entsprechen formal dem grotesken Inhalt der Diskussion – ein schon expressionistisch
anmutendes Stilmittel. Vgl. auch S. 54 f. im Dialog Sonnenstich–Melchior: *Ich habe ... – Sie haben ...*

52,20 *Kontroverse:* (lat.) Auseinandersetzung, Streit, Mei-
nungsverschiedenheit.

53,9 *suspendiert:* (lat.) (zeitweilig) aufgehoben, außer Be-
trieb gesetzt, des Amtes enthoben.

53,30 *Kollega:* vgl. Anm. zu 22,19.

53,31 *Lokal:* (lat./frz.) Gaststätte, Ort; hier: Raum, in dem
Zusammenkünfte stattfinden.
ventiliert: (lat.) gelüftet, luftig.

53,34 *applizieren:* (lat.) anbringen, anwenden; hier: ein-
setzen.

54,10 *Rentier:* vgl. Anm. zum Personenverzeichnis.

54,14 *Effekten:* (lat./frz.) Habseligkeiten, Habe, Besitz;
eigtl. Wertpapiere, die an der Börse gehandelt werden.

55,1 *Kalligraphie:* von griech. kallos ›Schönheit‹ und gra-
phein ›schreiben‹; Schönschreibekunst.

55,1 f. *denkbar bedenklichste:* Wortspiel, das den Sprecher,
zumal in der mehrfachen Wiederholung der Formel (vgl
57,15–17), als verknöcherten Pedanten kennzeichnet. Vgl.
auch 51,29 f.: *seine durch seine Heranbildung zum Gebildeten gebildeten Existenzbedingungen.*

55,10 f. *daraus resultierender:* von lat. resultare ›zurück-
springen‹ und frz. résulter ›hervorgehen, sich ergeben‹;
sich daraus ergebender, daraus folgender.

55,14 *präzisierten:* (frz.) genau angegebenen, ausgedrückten.

55,21 *protokollieren:* (lat./griech.) das Protokoll führen, im
Protokoll festhalten; vgl. Anm. zu 21,17.

56,5 *Hanswurst:* Narr, einfältiger, possentreibender Mensch;
urspr. dummpfiffige Dienerfigur im deutschen Fastnacht-
spiel des 16. Jh.s, im 17./18. Jh. lustige Person im deutschen Schauspiel.

56,10 *Diskretion:* (lat.) Takt, Zurückhaltung, Unauffällig-
keit.

56,10 f. *sittlichen Weltordnung:* einer Weltordnung, die auf
unbedingter Anerkennung vorgegebener moralischer
Normen beruht. Da Wedekind Rektor Sonnenstich diese
angebliche sittliche Weltordnung verteidigen läßt, übt er
Kritik an ihrer Postulierung. Vgl. Anm. zu 57,20.

56,13 *Langenscheidt:* Der Sprachwissenschaftler und Verleger Gustav Langenscheidt (1832–95) hat nicht nur Wör-
terbücher, sondern, in Zusammenarbeit mit dem französischen Sprachlehrer Charles Toussaint (gest. 1877), auch
fremdsprachige Unterrichtsbriefe und Lehrbücher entwickelt.

56,14 *agglutinierenden:* von lat. agglutinare ›ankleben‹. Ag-
glutinierende Sprachen sind solche, die zur Ableitung
und Beugung von Wörtern Nachsilben oder Endungen
an das unverändert bleibende Wort anfügen, z. B. die fin-
nisch-ugrischen Sprachen.
Volapük: von vol ›Welt‹ aus engl. world und pük ›Sprache‹ aus engl. speak ›sprechen‹: eine künstliche Welthilfs-
sprache, die von Johann Martin Schleyer (1831–1912) entwickelt und im Jahre 1880 publiziert wurde. In den achtziger Jahren des 19. Jh.s war sie weit verbreitet, wurde
aber später von dem heute noch bekannteren Esperanto
verdrängt.

Zweite Szene

57,3–6 *Wer jedoch ... sterben!:* vgl. z. B. Mt. 16,24: »Da
sprach Jesus zu seinen Jüngern: Will mir jemand nachfol-
gen, der verleugne sich selbst, und nehme sein Kreuz auf
sich und folge mir.« Das Kreuz steht hier symbolisch für
alle Schwierigkeiten des Lebens, für das Leben selbst. –
Von der christlichen Ethik wird der Selbstmord abge-
lehnt, weil der persönliche Schöpfergott, der dem Menschen das Leben zur Verwaltung übergeben hat, nach
dem Tode Rechenschaft über diese Verwaltung fordern
wird. So heißt es in der Genesis: »Denn ich will auch eu-
res Leibes Blut rächen, und will's an allen Tieren rächen;
und will des Menschen Leben rächen an einem jeglichen
Menschen, als der sein Bruder ist« (1. Mose 9,5; ›rächen‹
nach neueren Übersetzungen im Sinne von ›Rechenschaft
fordern‹); im Neuen Testament: »Denn unser keiner lebet
ihm selber, und keiner stirbet ihm selber. Leben wir, so
leben wir dem Herrn; sterben wir, so sterben wir dem
Herrn. Darum, wir leben oder sterben, so sind wir des
Herrn« (Röm. 14,7 f.). Selbstmord ist also nach christ-
licher Auffassung Ungehorsam und unberechtigte Vernichtung des höchsten Wertes in der natürlichen Ordnung, ein Verbrechen gegen Gott.

57,7 f. *die wir ... Dornenpfad:* die wir den schwierigen Weg
des Lebens weitergehen.

57,10 *Gnadenwahl:* Gottes Auswahl der zur Seligkeit be-
stimmten Menschen.

57,15 *Der Junge war nicht von mir!:* Rentier Stiefel lehnt
die Verantwortung für seinen angeblich mißratenen Sohn
ab, indem er an dessen Grab die Vaterschaft leugnet. Vgl.
Wedekinds eigene Anmerkungen zum Drama, Kap. IV.

57,20 *sittliche Weltordnung:* vgl. Anm. zu 56,10 f. Rektor
Sonnenstichs kreisförmiger Beweis (Zirkelschluß) für die
Existenz der sittlichen Weltordnung durch den Selbstmord beweist in seiner Unangemessenheit, von Wedekind beabsichtigt, das Gegenteil.

57,26 *verlumpt:* verwahrlost, verkommen; schweizer. auch: bankrott, zahlungsunfähig.

57,27 *verludert:* zum liederlichen Menschen geworden, herabgekommen.

57,36–58,2 *Wir wissen ... 1. Korinth. 12,15:* Falsche Stellenangabe, was Kahlbauchs mangelnde Bibelfestigkeit bezeugt. Das Zitat findet sich in Röm. 8,28: »Wir wissen aber, daß denen, die Gott lieben, alle Dinge zum Besten dienen, die nach dem Vorsatz berufen sind.«

58,6 f. *Wir ... können!:* Wieder wird von den Lehrern der Wert schulischer Leistungen über den des Menschen gesetzt. Die übertriebene Diskrepanz der inhumanen Logik stimmt mit der grotesken Überzeichnung der Lehrergestalten in der Konferenzszene überein.

promovieren: vgl. Anm. zu 20,36.

58,17–19 *Wer ... weg!:* Freund Ziegenmelker sucht nur nach einer Entschuldigung, zu einem geistigen Getränk greifen zu können.

58,18 *Grog:* (engl.) ein besonders in Norddeutschland populäres Getränk aus Rum (oder Weinbrand), heißem Wasser und Zucker, das auch als Hausmittel gegen Erkältungen gilt.

Herzklappenaffektion: Herzklappen sind die wie Ventile wirkenden Häute am Herzen, die den Blutkreislauf steuern. ›Affektion‹ (lat.) ist ein veralteter Ausdruck für ›Erkrankung‹. Herzklappen können sich z. B. verengen oder ihre völlige Schließfähigkeit verlieren (Herzklappenfehler).

58,26 f. *Grüße ... Angedenkens:* Gemeint sind die von Hänschen Rilow in II,3 *hingeopferten* Frauenbilder.

58,29 *Tollpatsch:* von ungar. talpas ›breiter Fuß, Infanterist; Bär, Tolpatsch‹: ungeschickter Mensch, Tölpel. Urspr. Spottname für ungarische Fußsoldaten.

59,9 *Man sagt, er habe gar keinen Kopf mehr:* vgl. Anm. zu 29,28–30,15.

59,22 *Paperlapap:* von babbeln, pappeln ›schwatzen‹; Unsinn.

59,29 *Disposition:* (lat.) Einteilung, Gliederung.

59,30 f. *Ich ... zusammen:* Ich suche, stückle mir notdürftig was aus dem Demokrit zusammen.

Demokrit: Schriften des griechischen Philosophen Demokritos von Abdera (470/460 – um 380 v. Chr.), eines der vielseitigsten voraristotelischen antiken Philosophen. Begründer der metaphysisch fundierten Lehre des Atomismus, der Lehre von den Atomen als kleinsten, unteilbaren Einheiten.

59,32 *im »Kleinen Meyer«:* vgl. Anm. zu 14,13.

59,34 *Vergil:* Publius Vergilius Maro, römischer Dichter (70–19 v. Chr.).

60,21 *Parallelepipedon:* vgl. Anm. zu 49,20. Das Wort steht hier stellvertretend für übergroße schulische Anforderungen.

60,30–32 *Die Königskerzen ... umher:* Mit dieser schaurigen Detailbeschreibung benutzt Wedekind Stilmittel des Naturalismus, über den er sich in seinem früheren Drama »Kinder und Narren (Die junge Welt)« (1889) lustig gemacht hat.

Dritte Szene

Als Vorbild für diese Szene hat Wedekind die Szene »Trüber Tag. Feld« aus Goethes »Faust« I genannt (vgl. Kap. II und Wedekinds Vorrede zu »Oaha« in Kap. IV).

61,3 *Sündenbock:* jemand, dem man alle Schuld zuschiebt der für die Schuld anderer büßen muß; urspr. nach 3. Mose der mit den Sünden des jüdischen Volkes beladene und in die Wüste gejagte Ziegenbock. Seit dem Ende des 18. Jh.s in heutiger Bedeutung.

61,6 *Zöpfen:* hier: Leute mit überholten, rückständigen Ansichten.

61,22 *Korrektionsanstalt:* vgl. Anm. zum Personenverzeichnis.

61,26 f. *wie die Pflanze ... entziehst:* Frau Gabor vertritt eine organische Erziehungstheorie des Hegens und Pflegens.

62,5 *Wer ... Wege:* Herr Gabor vertritt eine Erziehungstheorie, die sich an Charles Darwins (1809–82) Theorien
von der Auswahl der Stärksten im biologischen Bereich
anlehnt. Darwins Theorien erfreuten sich um 1890 in Europa der größten Popularität.

62,23 *Vorsatz:* feste Absicht, bewußtes Wollen und Planen
einer Straftat. Schon der Wortgebrauch zeigt, daß Herr
Gabor das Verhalten seines Sohnes als Jurist beurteilt,
der mit der Beurteilung eines Verbrechens beschäftigt
ist.

62,25 f. *manifestiert:* (lat.) offenbart, bekundet, zeigt.

62,26 *exzeptionelle:* (lat./frz.) außergewöhnliche.
Korruption: (lat.) Zerrüttung, Verfall; sonst auch: Beste-
chung, Bestechlichkeit.

62,27 *moralischer Irrsinn:* widersinnige Bezeichnung, die
die Pedanterie des juristisch geschulten Vaters erneut beweist.

62,36 *genialischen:* nach der Art eines Genies, schöpferi-
schen; hier im übertragenen Sinne von ›alles Durch-
schnittliche und Konventionelle mißachtend, über-
schwenglich‹.
Naturell: (frz.) Charakter, Gemütsart, Wesensbeschaffen-
heit.

63,18 *eklatanteste:* auffallendste, deutlichste, offenkundig-
ste. Das Wort ›eklatant‹ wurde im 17./18. Jh. aus frz. écla-
tant, dem Part. Präs. von éclater ›bersten, krachen; ver-
lauten, ruchbar werden‹, entlehnt.

63,30 *diskontieren:* seit dem 17. Jh. von ital. disconto ›Ab-
rechnung, Abzug‹; abrechnen; eigtl.: eine später fällige
Forderung (einen Wechsel) unter Abzug von Zinsen an-
kaufen.

64,3 f. *dieses frühlingsfrohe Herz – sein helles Lachen:* In
diesen Worten wird die Verbindung von Melchiors
Schicksal mit dem Titel deutlich. *frühlingsfroh* gewinnt
poetischen Beiklang durch Alliteration (Stabreim), d. h.
anlautende Wiederholung des f; *helles Lachen* durch die
Häufung der l-Laute. Der schwingende Rhythmus trägt

dazu bei, den so charakterisierten Zustand als gehobene, ideale Stimmung erscheinen zu lassen.

64,16 f. *vergeistert:* einer Spukgestalt ähnlich; hier in übertragener Bedeutung von: durch Schreck oder andere Erregung geisterhaft aussehend.

64,24 f. *auch wenn sie Folgen spüre:* auch wenn sie sich schwanger fühle.

64,26 *Relegation:* vgl. Anm. zu 51,13.

64,29 *Unmöglich!:* Frau Gabor bezieht sich nicht auf das von ihrem Mann unmittelbar vorher Gesagte, also auf Melchiors Brief, sondern auf seine Tat. Hier und im folgenden macht Wedekind von der Technik des Aneinandervorbeiredens Gebrauch, um die Erregung Frau Gabors und den Mangel an Kommunikation zwischen der Ehegatten zu charakterisieren. Diese Technik wird er später, vor allem in seinem Drama »Der Marquis von Keith« (1899), wieder verwenden.

65,8 f. *sein frühlingsfreudiges Herz:* vgl. Anm. zu 64,3 f. In Herrn Gabors Mund klingt der leicht variierte Ausdruck sarkastisch.

65,11 *In die Korrektionsanstalt:* Jetzt scheinen die Rollen zwischen den Eltern vertauscht. Für die liberale Frau Gabor ist die Beziehung Melchiors zu Wendla zuviel. Sie fällt in die Rolle ihres Mannes und gibt ihm die Antwort, die er hören will und die ihn von der Verantwortung für den drastischen Schritt entlastet.

65,15 *eherne:* harte, unbeugsame, eiserne.

Vierte Szene

66,1 f. *Ich lege ... der hat's:* Die Zöglinge sollen um die Wette masturbieren.

66,5 *Der Joseph!:* Der biblische Joseph, Sohn Jakobs und der Rahel, ist Symbol der Keuschheit, weil er sich den Nachstellungen der Frau Potiphars, des Kämmerers Pharaos, entzog (1. Mose 39).

66,6 *Rekreation:* (lat.) Erholung, Erfrischung.

66,7 f. *separiere:* (lat./frz.) absondere, ausschließe.

66,13–16 Melchior will sich mit pikanten Bibelgeschichten bei Ruprecht beliebt machen.

Judas Schnur Thamar: Schnur (ahd./mhd. snur): bibelsprachl. ›Schwiegertochter‹. Die verwitwete Th. soll Judas zweiten Sohn Onan heiraten, der sich weigert, mit ihr ein Kind zu zeugen, weil es als das seines Bruders gelten soll, und statt dessen onaniert, wofür er von Gott getötet wird. Als Juda Th. nicht, wie er dem Brauche nach hätte tun müssen, seinem dritten Sohn zur Frau gibt, verkleidet sich Th. als Hure, wird von Juda schwanger und soll verbrannt werden. Juda erkennt, daß er der Schuldige ist (1. Mose 38). (Auch in dieser Geschichte gibt es thematische Anklänge an »Frühlings Erwachen«.)

Moab: der legendäre Ahnherr der Moabiter. Er entstammte der blutschänderischen Verbindung des Lot mit seiner ältesten Tochter (1. Mose 19,37).

Loth und seiner Sippe: L. wird in Sodom von zwei Engeln besucht, die von den Sodomitern begehrt werden. L. bietet ihnen statt ihrer seine beiden jungfräulichen Töchter an. Sodom wird vernichtet. L.s Frau, die gegen das Gebot zurückblickt, erstarrt zur Salzsäule, L. entkommt mit seinen Töchtern. Im Glauben, sie seien die einzigen Überlebenden auf Erden, machen die Töchter L. betrunken, schlafen mit ihm und werden schwanger (1. Mose 19).

Königin Basti: Wedekind meint die schöne persische Königin Vasthi, die von ihrem Gemahl Ahasveros (Xerxes) verstoßen wurde, weil sie sich weigerte, auf Geheiß ihres Mannes ihre Schönheit vor allen Großen des Reiches zur Schau zu stellen. Esther wurde daraufhin zur Königin an ihrer Statt erhoben (Esther 1; 2).

Abisag von Sunem: die schöne junge Pflegerin des alten Königs David, die zwar bei ihm schlief, um ihn zu erwärmen, mit der er aber keinen Geschlechtsverkehr hatte (1. Kön. 1,1–4).

66,16 *Physiognomie:* von griech. physis ›Natur‹ und nomos

>Gesetz<: der äußere Gesichtsausdruck eines Menschen (oder Tieres).

66,18 *Ich hab's!:* Ich habe es (das Zwanzigpfennigstück) getroffen.

66,19 *Ich komme noch!:* Ich habe den Höhepunkt der geschlechtlichen Erregung noch nicht erreicht.

66,22 *Summa – summa cum laude!!:* (lat.) mit höchstem Lob, ausgezeichnet; >summa cum laude< ist das höchste Prädikat (Note) bei Doktorprüfungen.

66,29 f. *Hetz, Packan! Hetz! Hetz! Hetz!:* Die verfolgenden Kinder spornen einander wie Jagdhunde an.

66,35 f. *Bezahlen Sie mich per Hundert:* Melchior will ohne feste Anstellung als Redakteur oder Reporter für Zeitungen arbeiten und sich nach Umfang des von ihm Geschriebenen (Zeilengeld) bezahlen lassen. Vor allem im Jahre 1887 hatte Wedekind selbst vergeblich versucht, sich seinen Lebensunterhalt auf diese Weise zu verdienen.

66,36 *ich kolportiere:* von frz. colporter >hausieren, (Nachrichten) verbreiten< aus lat. comportare >zusammentragen<; ich verbreite Gerüchte.

67,1 *ethisch:* (griech.) sittlich (gut), moralisch.

67,1 f. *psychophysisch:* von griech. psyche >Seele, Lebensodem< und physis >Natur<; seelisch-körperlich, die Wechselbeziehung zwischen psychischen (seelischen) Reizen und den dadurch hervorgerufenen Empfindungen betreffend. Melchior will mit dem Begriff sagen, daß er bereit ist, jede populäre Theorie zu verteidigen, zu schreiben, was immer sein Schriftleiter verlangt.

67,3 *Volksküche:* eine seit Mitte des 19. Jh.s bestehende Einrichtung in Städten, wo die Fürsorge ein billiges Mittagessen an Notleidende ausgibt.

Café Temperence: von frz. tempérance aus lat. temperantia >Mäßigkeit, Maßhalten<; ein billiges, meist alkoholfreies Café, das von einem Mäßigkeitsverein, den Temperenzlern, betrieben wurde. Im Gegensatz zu den Abstinenzlern, die jeglichen Genuß von Alkohol verurteilen, erlauben die Temperenzler zumindest geringe Mengen.

Kaffeehäuser und Speiselokale der Temperenz- oder Mäßigkeitsvereine, die z. T. leichtes Bier ausschenkten, waren nicht nur in den USA und England, sondern um 1890 auch in Deutschland und in der Schweiz erfolgreich.

67,4 *Fuß:* altes, heute vor allem in den angelsächsischen Ländern gebräuchliches Längenmaß, das von der durchschnittlichen Länge des menschlichen Fußes abgeleitet ist. In Deutschland gab es vor der Einführung des metrischen Systems über 100 verschiedene Fußmaße zwischen 25 und 34 cm.

67,8 *Angeln:* Gemeint sind Fenster- oder Türangeln (Scharniere, drehbare Befestigungen), die Melchior schmieren will, damit sie bei seiner Flucht kein Geräusch machen.

67,10 f. *kataleptischer Anfall:* Katalepsie (griech.) ist Starrsucht, ein Spannungszustand der Muskeln, der hauptsächlich als Symptom der Schizophrenie auftritt.

67,15 *Großinquisitor:* (lat.) Vorsteher der (spanischen) Inquisition, die Ketzer aufspürte, vor ein kirchliches (Inquisitions-)Gericht stellte und nach meist durch Folter erpreßtem Geständnis verurteilte, oft zum Verbrennungstod. Das Wort ist hier im übertragenen Sinne, etwa ›ungerechter Vertreter einer grausamen Obrigkeit‹, gebraucht.

67,27 *einlassen:* in den Mörtel der Hauswand einfügen.
vernietet: mit Nieten (Metallbolzen) verschlossen.

Fünfte Szene

67,33–68,1 *die Blaudschen Pillen:* von dem französischen Arzt Paul Blaud (1774–1858) erfundene Pillen, die vor allem Eisensulfat und Pottasche enthalten; gegen Blutarmut.

68,2 *eklatantesten:* vgl. Anm. zu 63,18.

68,3 *Stahlweinen:* wie die Blaudschen Pillen Eisenpräparate zur Bekämpfung der Blutarmut, in diesem Fall in (alkoholhaltiger) Weinform. Stahlweine wurden durch Lösung von Eisenextrakten (meist) in Weißweinen hergestellt.

68,5 *Baronesse:* (frz.) Freifräulein, Freiin, Tochter eines Barons (Freiherrn).

68,10 *Nachkur:* zweite, leichtere Kur nach Abschluß einer ersten Kur.

   Pyrmont: seit dem 17. Jh. exklusiver Badekurort bei Hameln (Niedersachsen).

68,12 *dispensiere:* (lat.) befreie, beurlaube.

68,31 *Platane:* von griech. plátanos zu platys ›breit‹, nach den breiten Blättern oder dem breiten Wuchs; ahornähnlicher Laubbaum mit glatter Borke, die sich in Platten ablöst.

68,34 *Müller:* Die Frauen gebrauchten damals den Nachnamen, wenn sie von oder zu ihren Männern sprachen.

69,1 *Trikotanzug:* vgl. Anm. zu 12,19.

69,6 *Himmelsschlüssel:* Blumenarten der Gattung Primel. In dem Namen wird wiederum auf den baldigen Tod Wendlas vorausgedeutet.

69,15 *Erbrechen:* Erbrechen stellt sich oft als vorübergehendes Symptom während der ersten Schwangerschaftsmonate ein.

69,32 *Bleichsucht:* früher häufige, wahrscheinlich entwicklungsbedingte Blutarmut junger Mädchen.

70,6 *Wassersucht:* krankhafte Ansammlung aus dem Blut stammender wasserähnlicher Flüssigkeiten in den Gewebsspalten oder in den Leibeshöhlen.

70,24f. *Ich bin ja doch nicht verheiratet ...!:* In diesem naiven Wörtlich-Nehmen der mangelhaften Aufklärung durch die Mutter (vgl. 37,3) wird die Schuldlosigkeit Wendlas an ihrer Schwangerschaft (und die Schuld der Mutter) deutlich.

71,18–20 *Schmidts Mutter ... Mutter Schmidtin:* Mit diesen vertraulichen Bezeichnungen wird der eigentliche, eben nicht »mütterliche« Beruf der Eintretenden, der der Abtreiberin, beschönigend tabuisiert.

Sechste Szene

71,31 *sind sie gekeltert:* ist der Saft aus ihnen gepreßt (mit der
    Fruchtpresse). ›keltern‹ wurde im 15. Jh. aus dem Substan-
    tiv ›Kelter‹ gebildet, aus ahd. kelcterre aus lat. calcatura
    ›das Stampfen, Keltern‹ zu lat. calcare ›mit der Ferse tre-
    ten, mit den Füßen stampfen‹. In älteren Zeiten wurde der
    Saft mit den Füßen aus den Weintrauben gepreßt.

72,2 *Muskateller:* bukettreiche Rebsorte mit Muskatge-
    schmack, die vor allem in Südeuropa angebaut wird.

72,10 *das flammende Firmament:* ›Firmament‹ (lat.) ist ein
    gehobener Ausdruck für ›Himmel, Himmelsgewölbe‹.
    Hänschens Sprache wird überschwenglich-poetisch; die
    f- und m-Laute wiederholen sich.

72,24 *türkische Draperien:* Draperien (frz.) sind faltenreiche
    Vorhänge. Während seinem Freunde Ernst das bieder-
    meierliche Ideal eines beschaulichen Lebens als Landpfar-
    rer vorschwebt, träumt Hänschen von (Bordell-)Dekor
    im orientalischen Stil, wie er um 1890 populär war.

72,25 *Pathos:* (griech.) übertriebene Gefühlsäußerung, Ge-
    fühlsüberschwang, leidenschaftlich bewegter Ausdruck,
    feierliche Ergriffenheit.

72,29 f. *Milchsette:* Milchnapf.

73,11 f. *Er küsst ihn auf den Mund:* Wedekind sieht die ju-
    gendliche Homosexualität wohl als altersbedingte, puber-
    täre Stufe, die mit fortschreitender Reife zugunsten hete-
    rosexueller Wünsche und Triebe überwunden werden
    wird. Zensur und Dramaturgen sahen sich lange Zeit
    dazu veranlaßt, diese Szene bei Aufführungen zu strei-
    chen.

Siebente Szene

73,31 *die Meute:* Schar von Jagdhunden. Melchior meint
    nicht nur die zum Verfolgen seiner Spur benutzten
    Hunde, sondern verwendet den Begriff abwertend für die
    Gesamtheit seiner Verfolger, wie aus dem pronominalen
    ›sie‹ im folgenden Satz hervorgeht.

74,18 *um abzuschließen:* um mit dem Leben abzuschließen, Selbstmord zu begehen.

75,3 *Immergrün:* Pflanze in kleinen immergrünen Stauden mit blauen einzelstehenden Blüten. Hier steht das Wort als Symbol des fortdauernden Lebens im Kontrast zur Atmosphäre und Umgebung des Todes.

vor 75,5 *Selig sind, die reinen Herzens sind ...:* Zitat von Mt. 5,8: »Selig sind, die reinen Herzens sind; denn sie werden Gott schauen.« Teil der Bergpredigt; vgl. Anm. zu 49,20.

75,8 f. *seinen Kopf unter dem Arm, stapft über die Gräber her:* Nach dem Volksglauben erscheinen sogenannte Wiedergänger (aus dem Reich des Todes) mit dem Kopf unter dem Arm. Wedekind nimmt mit dem Grotesken dieser Szene den literarischen Expressionismus noch klarer voraus als in der Szene der Lehrerkonferenz.

75,14 f. *Gib mir die Hand:* Mit dem Handschlag würde Melchior den Tod wählen. Der Handschlag ist die nichtschriftliche Form für den rechtskräftigen Abschluß eines Paktes. Moritz wiederholt seine Aufforderung mehrfach (75,17; 76,8; 76,25 f.; 77,9; 77,13) und betont damit die symbolische Verbindlichkeit der Geste.

76,4 *Maibäume:* bis auf den Wipfel von Ästen und Rinde befreite, mit Kränzen und Bändern behangene Birken oder Tannen, die zum Maifest und -tanz auf dem Dorfplatz oder auch in der Nacht zum 1. Mai den Mädchen von ihren Verehrern aufgestellt werden.

77,15 *stoischer:* gleichmütiger, gelassener, unerschütterlicher. Eigtl. bedeutet ›stoisch‹ ›auf den philosophischen Grundsätzen der Stoa beruhend‹, einer auf die Lehre des griechischen Philosophen Zeno von Kition gegründete Philosophenschule um 300 v. Chr. (von griech. stoa ›Säulenhalle, Säulengang, Halle, Galerie‹; hier ist die ›stoa poikile‹, die ›bunte Halle‹ gemeint – wegen zahlreicher Wandgemälde –, wo sich in Athen die Anhänger Zenos trafen).

77,17 *Gassenhauern:* viel gesungene, dem Schlager ähnli-

Schlußszene in der Uraufführung Berlin 1906 mit Bernhard von Jacobi (Melchior), Frank Wedekind (Vermummter Herr), Alexander Moissi (Moritz). Foto: Handschriftenabteilung der Stadtbibliothek München

che Lieder. Seit dem 16. Jh. mit der ursprüngl. Bedeutung
von ›Pflastertreter, Nachtbummler‹ nach ›hauen‹, das
frühnhd. ein Kraftwort für ›gehen‹ war, dann Übertragung der Bedeutung auf die von den Nachtbummlern
gestampften Tänze mit ihren Melodien. Hier sind wohl
populäre politische Spottverse gemeint.

Lazzaroni: ital. von span. lazzarino ›aussätzig‹; neapolita-
nische Gelegenheitsarbeiter, die sich den Bourbonen als
Hilfstruppen gegen die aus Adel und Bürgertum stam-
menden Revolutionäre, bes. 1798, 1821 und 1848, anboten.

77,17 f. *jüngsten Posaune:* Das Jüngste Gericht wird nach
Offb. 8 dadurch eingeleitet, daß sieben Engel je eine Posaune blasen. In 1. Kor. 15,52 ist von nur einer, der »letzten Posaune« die Rede: »Und dasselbe plötzlich in einem
Augenblick zur Zeit der letzten Posaune. Denn es wird
die Posaune schallen und die Toten werden auferstehen
unverweslich, und wir werden verwandelt werden.« Vgl.
auch Mt. 24,31 und 1. Thess. 4,16.

77,18 *ignorieren:* (lat.) absichtlich übersehen, nicht beach-
ten, nicht wissen wollen.

77,21 *den Kapitalisten:* (ital./lat.) den (Kapital-)Reichen.

77,28 *Fünfgroschendirne:* Prostituierte, die ihre Dienste für
den geringen Betrag von fünf Groschen feilbietet, also auf
der untersten Stufe der sozialen Leiter steht und damit
kaum am bürgerlichen Bildungsgut (Lektüre der Werke
Schillers) teilhaben kann.

77,32 f. *Du brauchst ... reichen:* vgl. Anm. zu 75,14 f. Vgl.
auch Sprichwörter wie »Wenn man dem Teufel den kleinen Finger gibt, so nimmt er die ganze Hand«, womit
Moritz assoziativ in die Rolle des Teufels (Teufelspakt)
gedrängt wird.

78,6 *Kreatur:* (lat.) Geschöpf, Lebewesen; auch: verachtens-
werter Mensch.

78,28 *Humbug:* Schwindel, Unsinn, Aufschneiderei; im
19. Jh. von engl. humbug entlehnt, einem Schlagwort unbekannter Herkunft.

78,29 *saure Trauben:* etwas, was man nicht erhalten, errei-
    chen kann, dies aber nicht zugeben will und statt dessen
    schlechtmacht; der Redensart liegt die Äsopische Fabel
    vom Fuchs und den Trauben zugrunde: ein Fuchs konnte
    Trauben nicht erreichen, weil sie zu hoch hingen, und
    tröstete sich damit, daß sie noch sauer seien.

78,32 *Windbeuteleien:* Vorspiegelungen, Lügen.

79,5 *Würdest du:* Während der vermummte Herr Moritz
    mit *Sie* anredet, gebraucht er Melchior gegenüber, den er
    für sich gewinnen will, das vertraulichere *Du.*

79,9 f. *Ich erschließe dir die Welt:* Der vermummte Herr
    nimmt Züge von Goethes Mephisto an. Durch diese
    Ähnlichkeit erhält er allerdings auch etwas Zweideutiges,
    Schiefes, was das Vertrauen in ihn, die angebliche Verkör-
    perung des Lebens, in Frage stellt (vgl. Kap. III).

79,17 f. *So viel ... hätte:* Die physische Befähigung Wendlas
    zum Austragen des Kindes stand nie in Frage. Mit der Ver-
    nachlässigung der sozialen Motivierung für die Abtrei-
    bung trifft der vermummte Herr bewußt neben das eigent-
    liche Problem. Es scheint hier Wedekind mehr um den
    Schockeffekt der Worte seines vermummten Herrn zu ge-
    hen als um das sozialkritische Anliegen seines Dramas.

79,19 *Abortivmitteln:* von lat. abortus ›Fehlgeburt‹, eigtl.
    Part. Perf. zu aboriri ›abgehen‹: den Mitteln zur Bewir-
    kung einer Fehlgeburt.

79,19–23 *Ich ... bietet:* Wieder Anklänge an Goethes
    Drama »Faust« I (vgl. Kap. III).

79,33 *Scharlatan:* im 17. Jh. über frz. charlatan aus ital. ciar-
    latano entlehnt; Schwindler, jemand der von einer Sache
    nichts versteht, sich aber als Fachmann ausgibt.

80,4 *bramarbasiert:* geprahlt, angegeben. Bramarbas ist der
    Name eines Großsprechers in der anonymen Satire »Car-
    tel des Bramarbas an Don Quixote« (1710). Der Wort-
    stamm ist nach span. bramar ›heulen, schreien‹ (ahd. bre-
    man ›schreien‹) gebildet.

80,5 *traktieren:* (lat.) jemandem etwas in reichlicher Menge
    anbieten, bewirten.

80,11–13 *Berthold Schwarz* ... *Breisgau:* Der Name
›Schwarz‹ war ein Mißverständnis in der Übersetzung
Aventins, der ›Bertoldus niger‹ (für ›nigromanticus‹)
falsch verstand. Berthold stammte aus der Stadt oder Di-
özese Konstanz, wo er Domherr war. In der ersten Hälfte
des 14. Jh.s lehrte er an der Universität Paris. Bei Versuchen mit einem Pulvergemisch aus Schwefel, Salpeter und
Holzkohle entdeckte er dessen Sprengwirkung.
alias: von lat. alius ›ein anderer‹; anders, auch ... genannt.
80,12 *Franziskanermönch:* Mitglied eines von Franz von
Assisi (1181/82–1226) gestifteten Mönchsordens, eines
Bettelordens.
80,30–34 *Unter Moral* ... *nicht leugnen: réelle:* von frz. réel
›tatsächlich, wirklich‹; ehrliche, zuverlässige. Reelle Zahlen in der Mathematik sind rationale und irrationale Zahlen.
80,31 *Produkt:* Ergebnis des Malnehmens (Multiplizierens)
in der Mathematik; seit dem 16. Jh. aus lat. productum,
dem substantivierten Neutrum des Part. Perf. von produ-
cere ›vorwärtsführen, hervorbringen‹; deshalb sonst auch:
Folge, Ertrag.
imaginärer: von frz. imaginaire zu lat. imaginarius ›zum
Bild gehörig, bildhaft, nur in der Einbildung bestehend‹.
Imaginäre Zahlen in der Mathematik (Symbol: i) sind Teil
der komplexen, nicht reellen Zahlen der Formel a + bi,
wobei a und b reelle Zahlen sind und für die imaginäre
Einheit i die Multiplikationsregel $i \cdot i = -i$ gilt. Das *reelle
Produkt zweier imaginärer Größen* ist so die Definition
des mathematischen Problems der Wurzel aus negativen
Zahlen. Im übertragenen Sinne will Wedekind also sagen,
daß die Moral als das *Produkt zweier imaginärer Größen*
(*Sollen* und *Wollen*) sich zwar *in seiner Realität nicht
leugnen* läßt – aber eine negative Größe ist (nach einem
Hinweis von Günter Seehaus). Hätte Moritz um diese
Fragwürdigkeit der Moral gewußt, so hätte er sich nicht
zu erschießen brauchen (siehe im folgenden die Worte
Moritz').

81,2 f. *An mir ... blamiert:* weil das Gebot der Bibel (»Ehre
Vater und Mutter, auf daß du lange lebest«, vgl.
2. Mose 20,12) in Moritz' Fall zu seinem Tode führte.
die Schrift: die Heilige Schrift, die Bibel.

81,3 *phänomenal:* (griech.) unglaublich, erstaunlich, außer-
gewöhnlich.

81,6 *Rigoros:* vgl. Anm. zu 41,30.

81,18 *das Pistol:* heute ›die Pistole‹, kurze Handfeuerwaffe;
am Anfang des 15. Jh.s während der Hussitenkriege von
tschech. pištal ›Pfeife, Rohr, Pistole‹ entlehnt.

81,20–22 *Erinnern ... Leben:* Der vermummte Herr gibt
sich mit diesen Worten als (symbolische) Verkörperung
des Lebens zu erkennen.

81,24 *Debatte:* (frz.) Wortgefecht, Diskussion, Verhandlung
(bes. im Parlament).

81,36 *enervierenden:* (frz.) entnervenden, nervenaufreiben-
den.

82,18–24 *Der Mond ... lächle ...:* Ähnlich heißt es in Georg
Büchners Novelle »Lenz« (entstanden 1835, erschienen
1839): »[...] und der Himmel war ein dummes blaues
Aug, und der Mond stand ganz lächerlich drin, einfältig.
Lenz mußte laut lachen [...].« Da an dieser Stelle auch
von Atheismus die Rede ist, ist eine Beeinflussung wahrscheinlich.

II. Verwandte Texte Wedekinds

In dem 1887 verfaßten dramatischen Fragment »Elins Erweckung« sind bereits mehrere Elemente von »Frühlings Erwachen« (und »Lulu«) vorgeprägt. Dem Freundespaar Melchior und Moritz entsprechen dort Elias, ein Kandidat der Theologie, der sich von einer alten Jungfer aushalten läßt und eben seine österliche Probepredigt vorbereitet, und Oskar, sein Medizin studierender Freund. Auch eine Ilse (oder spätere Lulu), die von dem Bettler Schigolch zur Dirne erzogene Ella, tritt dort auf. Nachdem Elias sie aus den Klauen des sie verfolgenden Grafen Schweinitz gerettet hat, gelingt es ihr, ihren Retter zur Anerkennung der Werte des diesseitigen Lebens zu bringen.

In dem frühen Gedicht »Santa Simplicitas« behandelt Wedekind aus komischer Sicht dasselbe Ereignis, das später den Anstoß zur Abfassung von »Frühlings Erwachen« gab. Die Anmerkung, die auf diesen Sachverhalt hinweist, ist in den »Gesammelten Werken« mit abgedruckt:

Santa Simplicitas[1]

Ein längeres Poema in volkstümlichen
Knittelversen[2] zierlich ausgearbeitet.

Allbekannt ist die tragische Geschichte,
Die ich in nachstehenden Versen berichte.

---

1 (lat.) Heilige Einfalt. – Wedekind hat hierzu später folgende Anmerkung gemacht: »Im Sommer 1883 ereignete sich an der übrigens sehr freiheitlich geleiteten Kantonsschule in Aarau der Unglücksfall, der mir 7 Jahre später die Anregung zu ›Frühlingserwachen‹ gab. Die nachfolgenden Verse, die ich im Sommer 1883 schrieb, werden meine damaligen Mitschüler vielleicht als Kuriosum schätzen.« Wedekind bezieht sich hier auf den Selbstmord von Frank Oberlin von 1881 (!). Vgl. seinen Brief an Adolph Vögtlin vom Juli 1881 (Kap. IV).
2 vierhebiges volkstümliches Versmaß.

Drum bitt' ich den Leser um gnädige Huld
Und um eine unbegrenzte Geduld:

Der Rektor, von redlichem Diensteifer getrieben,
Hat folgenden interessanten Anschlag geschrieben.
Pünktlich so, wie ihm befohlen hat
Der hochwohllöbliche Herr Regierungsrat.

Es fand nämlich der ehemalige Herr Pfarrer,
Nunmehro aber Erziehungsdirektor K.....,
Daß ein böser, studentenhafter Geist
Die Aargauische Kantonsschule in den Abgrund reißt.

Man muß zwar nicht wähnen, daß derartige Ideen
Etwa in seinem eigenen Kopfe entstehen,
Sondern es ist erwiesen, daß er sie gelesen hat
Im Aargauischen Anzeiger und im Zofinger Tageblatt.

Besagte Blätter fanden nämlich, die Lorgnetten,
Wie auch die Spazierstöcke und Überröcke hätten,
Verbunden mit einem allzugroßen Biergenuß
Auf die Kantonsschüler einen sehr verderblichen
Einfluß.

Daraus lasse sich auch vortrefflich erklären,
Daß, wenn zwei Kantonsschüler in einem gewissen
Stadium wären,
Und einer von ihnen besäße ein Pistol,
Sich alle beide schössen vor die Köpfe wohl. –

Dermaßen schrieben jene berühmten Blätter. –
Den Herrn Erziehungsdirektor überfiel ein kaltes
Wetter;
Da ihn aber trotzdem nicht der Schlag gerührt,
Hat er schnellstermaßen eine Rede präpariert.

Wollt' ich besagte Rede aber hier anführen,
Würd' ich leider allzuviel Platz verlieren,
Da nach jedem Wort ein kleiner Raum bliebe frei,
Anzudeuten, daß jeweilen eine Pause gewesen sei. –

Doch muß ich den geneigten Leser um Verzeihung
                                            bitten,
Daß ich gar soweit vom Thema abgeschritten.
Denn erst jetzt richte ich meinen Blick
Wieder auf obenerwähnten Anschlag zurück.

Der Erziehungsdirektor ließ nämlich den Rektor zu
                                            sich kommen;
Drauf hat er alle geistigen Kräfte zusammengenommen,
Worauf er nachstehendes Dekret
Höchst eigenen Mundes diktieren tät:

Was der hohe Erziehungsrat beschlossen,
Nachdem sich zwei so hoffnungsvolle Jünglinge
                                            erschossen,
Und wie sich die Sache nun weiter macht,
Sei hiemit den Schülern zur Kenntnis gebracht.

Es ist nämlich verboten, am frühen Morgen
In der Kneipe schon für den Magen zu sorgen,
Denn solches wird bezeichnet als sehr lasterhaft
Von der ganzen hochzuverehrenden Lehrerschaft.

Ebenso muß dieselbe strengstens untersagen,
In den Kneipen zu weilen an Nachmittagen,
Und ist der Wirtschaftsbesuch überhaupt
Erst am Abend nach sechs Uhr erlaubt.

Alsdann mögen die Schüler ihre Kehle salben
Durch einen Topf Bier, oder auch durch anderthalben.
Aber sobald es geschlagen zehn,
Soll jeder gesittet nach Hause gehn.

Was jedoch einer jeden Ordnung Hohn schreit,
Das ist das Biertrinken aus Gewohnheit,
Weshalb auch die allerstrengste Straf'
Schon einen derartigen Sünder traf. –

Wer jetzt nur ein einziges Mal wird ertappet,
Daß er zur unrechten Zeit nach Bier schnappet,

Der wird sofort bestrafet – bums!! –
Durch Androhung des Konsiliums[3].

Desgleichen, wer da aus Gewohnheit saufet,
Tagtäglich in die Bierhäuser laufet,
Auch einen solchen kuriert man so
Durch das bekannte Konsilio. –

O ihr Götter, welch drakonische Maßregeln
Ergreift man gegen unschuldiges Biertrinken und
                                            Kegeln;
Solche gesunde Übung, die
Verbittert man durch Androhung des Konsilii.

Und um zu besitzen einen strengen Wächter
Gegen allfällige freche Gesetzesverächter,
Fungiert Professor S.... nunmehr an der Stell'
Von dem ehemaligen Herren Pedell.

Er ist nämlich ein vorzüglich guter
Kneipenwächter, der Professor S....;
Und ist mit Recht wohl abzusehn,
Daß ihm kein Sünder kann leicht entgehn.

Denn Herr Professor mußte in jungen Jahren
Einigermaßen mit seinem Taschengelde sparen,
Weshalb er, bis er erwachsen und groß,
Kaum zwanzig Töpfe Bieres genoß.

Wer will es nun einem solchen verdenken,
Daß er jetzt desto mehr verweilt in den Schenken.
Hat er doch am meisten Gelegenheit,
Zu wachen über der Schüler Sittlichkeit. –

Dann sprach das Dekret noch die Breite und Länge
Von einer bedeutend vergrößerten Strenge,
Mit der man das Kantonsschulreglement
In der Folgezeit durchführen könnt'.

3 (lat.) Kurzform für ›Consilium abeundi‹: Verweisung von der Schule.

Solchermaßen stand es geschrieben
Am schwarzen Brett, und die Schüler blieben
Haufenweis vor demselben stehn,
Um das neue Geistesprodukt zu besehn.

Einige waren denn auch so verständig,
Und lernten den Anschlag sofort auswendig;
Denn wir sind ja alle noch jung
Und bedürfen geistiger Erheiterung.

Um übrigens mit dem Gedächtnis zu vermitteln,
Schrieb ich den Anschlag in obigen Knitteln[4].
Und hoffe, daß ich dadurch erreicht,
Daß einem jeden das Lernen wird leicht.

Überhaupt könnte man ein ganzes Buch verfassen,
Und dasselbe nachhero drucken lassen,
Von all den Reden und Schreiberein,
Die uns das schwere Unglück trug ein.

Mehrere wollten auch stenographieren,
Was der Rektor uns versprach, zu Gemüte zu führen,
Zogen aber traurig wieder ab,
Da es nichts zu stenographieren gab.

Ja, es war eine schreckliche Geschichte!
Der Rektor stand da, wie vor dem Jüngsten Gerichte,
Als er jene Rede zu halten anfing,
Mit der er schon seit drei Tagen schwanger ging.

Ernstlich sprachen und meinten einige,
Daß man den toten Leichnam nicht steinige;
Sogar der Rektor sagte mit traurigem Blick:
De mortuis nil, nisi bene, dic![5]

Aber kaum waren diese Worte draußen,
Da begann er gar zu heftig aufzubrausen

4 Knittelversen.
5 (lat.) Von den Toten sprich nur Gutes.

Und fiel mit mancher Schmähung schwer
Über die toten Jünglinge her.

Und das zwar so lange, bis ihm die Tränen
Die Worte erstickten zwischen den Zähnen,
Und bis er endlich, tiefgerührt,
Sein rotes Taschentuch zur Nase führt.

Es ist hierbei nun nicht zu besorgen,
Daß er darin etwa sein Manuskript verborgen.
Dermaßen trifft ihn keine Schuld,
Denn das Manuskript lag bereits auf dem Pult.

Und als er sich wieder so weit ermannte,
Daß er durch die Tränen die Buchstaben erkannte,
Schneuzte er seine Nase noch einmal recht fest
Und las dann von seiner Rede den Rest.

Daß dieselbe kein Meisterstück ware,
Ist wohl einem jeden ganz klare;
Denn wer will in einem solchen Augenblick
Auch zuwege bringen ein Meisterstück.

Also wollen wir uns damit trösten,
Daß es ja schon den allergrößten
Rednern dann und wann ist passiert,
Daß sie sich ein wenig blamiert. –

Somit will ich denn dies Gedichte schließen,
Denn es würde mich und euch verdrießen,
Lohnte sich auch kaum der Zeit,
Herzuzählen jede Kleinigkeit.

Ich suchte auch nur die Hauptsachen des Aktes
Zusammenzutragen in ein kompaktes
Ganzes, das der Wahrheit getreu
Und für alle Zeiten unsterblich sei.

Bin ich nun jemandem zu nahe getreten,
Sei er höflichst um Verzeihung gebeten;

Denn es war durchaus nicht mein Ziel,
Daß sich jemand beleidigt fühl'. –

Derjenige aber, der diese Zeilen gedichtet,
Fühlt sich durchaus zu keiner Unterschrift verpflichtet.
Wenn man ihn aber trotzdem schuldigt an,
Wird er einfach sagen: »Ich hab' es nicht getan.«

Daher bittet er aber auch alle andern,
So mit ihm in die Kantonsschule wandern,
Daß sie, sollte etwa Nachfrage geschehn,
Ruhig erklären: »Wir haben ihn nicht gesehn.«

Kann man dann dermaßen nicht erklären,
Wie diese Verse entstanden wären,
So bleibt nur noch zu vermuten, daß die Schreiberei
Eben eine göttliche Offenbarung sei.

3. Juli 83.

Wedekind: Gesammelte Werke [GW]. Hrsg. von
Artur Kutscher und Richard Friedenthal. 9 Bde.
München: Georg Müller, 1912–21. Bd. 8. S. 31–37.

In Wedekinds Gedichtsammlung »Die vier Jahreszeiten«,
Teil des 1897 veröffentlichten Sammelbandes »Die Fürstin
Russalka« (1905 u. d. T. »Feuerwerk«), finden sich zwei
spätere Gedichte über Gestalten aus »Frühlings Erwachen«:

Ilse[6]

Ich war ein Kind von fünfzehn Jahren,
Ein reines unschuldsvolles Kind,
Als ich zum erstenmal erfahren,
Wie süß der Liebe Freuden sind.

Er nahm mich um den Leib und lachte
Und flüsterte: O welch ein Glück!

6 Das Gedicht »Ilse« schrieb Wedekind am 4. Dezember 1893 auf seine Pariser
Freundin Alice, deren Namen er auch zunächst als Überschrift verwandte.

Und dabei bog er sachte, sachte
Den Kopf mir auf das Pfühl zurück.

Seit jenem Tag lieb' ich sie Alle,
Des Lebens schönster Lenz ist mein;
und wenn ich Keinem mehr gefalle,
Dann will ich gern begraben sein.

GW 1. S. 25.

Wendla

Sieh die taufrische Maid,
Erst eben erblüht;
Durch ihr knappkurzes Kleid
Der Morgenwind zieht.

Wie schreitet sie rüstig,
Jubiliert und frohlockt,
Und ahnt nicht, wer listig
Unterm Taxusbusch hockt.

Der allerfrechste Weidmann
Im ganzen Revier,
Er tut ihr ein Leid an
In frevler Jagdbegier.

In einem langen Kleide
Geht sie nun bald einher,
Sinnt vergangener Zeiten
Und jubelt nicht mehr.

GW 1. S. 26.

Artur Kutscher (1878–1960) berichtet folgendes von Wedekinds Plänen, den Stoffbereich von »Frühlings Erwachen« für weitere Werke zu benutzen:

»Wie sehr Wedekind mit seinem Werke verwachsen ist, erkennen wir auch daraus, daß er den Gestalten der Wendla und Ilse je ein Gedicht gewidmet hat [...], daß Melchior der Ahne einer ganzen Reihe von Figuren geworden ist, die seinen Grundgedanken varriieren, daß Wedekind alsbald eine Tragödie plante mit dem Titel ›Spätfrühling‹, zu welcher er notierte: ›Minna. Tagebuch. Katja (die befreundete Malerin)‹, und etwa gleichzeitig ›Spätsommer, eine Tragödie, ein männliches Beispiel für Tante Jahn‹. Vielleicht bedeutet der Entwurf eines Dreiakters ›Spätfrühling‹ aus der ersten Pariser Zeit eine Vereinigung und Überwindung der bisherigen Pläne. Das Werk, dessen Inhalt mit grotesken Schlagworten angedeutet ist, sollte scheinbar eine Komödie werden und sich der szenischen Technik von ›Frühlingserwachen‹ bedienen, auf welche Wedekind ja auch später noch verschiedentlich zurückgriff. Endlich muß hier noch ein Entwurf aus der späteren Pariser Zeit, etwa Herbst 93, genannt werden, der überschrieben ist ›Frühlingserwachen Pendant‹. Er benutzt Szenen und Worte des vorigen Entwurfs. Von zwei jungen Menschen, die sich lieben, ist Er ein schüchterner, lebensferner Privatdozent, ein Ibsenschwärmer, und Sie hat als Tochter einer Emanzipierten gefühlsrohe, materialistische Aufklärungen empfangen. Beide erleben eine tiefunglückliche Brautzeit voller Mißtrauen und begehen ihre Hochzeitsnacht voll Mitleid miteinander, in Tränen gebadet und unter dem Schwur ewiger Keuschheit, von welchem sie aber die unbewußte Natur zu entbinden scheint. Der Schluß dieser Tragikomödie zeigt die Brautnächte zweier ganz anders gearteten Paare. Die Ausführung ist wieder im Stil von ›Frühlingserwachen‹ gedacht.«

Kutscher: Frank Wedekind. Sein Leben und seine Werke. 3 Bde. München: Georg Müller, 1922–31. Bd. 1. S. 260f.

III. Quellen

Mit »Frühlings Erwachen« hat Wedekind den Dramentypus
der Kindertragödie begründet, ohne dafür ein Vorbild zu
haben. Nur mit seiner Kritik am zeitgenössischen Erzie-
hungswesen nahm er ein Thema der Sturm-und-Drang-Dra-
matik – man denke an Jakob Michael Reinhold Lenz'
(1751–92) Drama »Der Hofmeister« (1774) – wieder auf. Es
ist möglich, daß Wedekind den Impuls zur Abfassung seines
Dramas von Arno Holz' und Johannes Schlafs Erzählung
»Der erste Schultag«, die 1889 in der Sammlung »Papa Hamlet« erschien, empfangen hat; als Quellen im engeren Sinne
kommen jedoch eher die folgenden Texte in Frage:

Die Paktszene in Goethes »Faust« I ist in vieler Hinsicht
Vorbild für die letzte Szene von »Frühlings Erwachen«
(III,7; vgl. Anm. zu 67,34f.). Wie Mephistopheles verspricht, Faust ins Leben zu führen, so verspricht auch der
vermummte Herr dies Melchior gegenüber (67,26f.; 67,34f.;
68,7f.). Wie Mephisto trägt auch der vermummte Herr weltmännische Kleidung.

Studierzimmer

Faust. Mephistopheles.

Faust. Es klopft? Herein! Wer will mich wieder plagen?
Mephistopheles. Ich bin's.
Faust.   Herein!
Mephistopheles.   Du mußt es dreimal sagen.
Faust. Herein denn!
Mephistopheles.   So gefällst du mir.
  Wir werden, hoff ich, uns vertragen;
  Denn dir die Grillen zu verjagen,
  Bin ich als edler Junker hier,
  In rotem, goldverbrämtem Kleide,
  Das Mäntelchen von starrer Seide,
  Die Hahnenfeder auf dem Hut,

Mit einem langen, spitzen Degen,
Und rate nun dir, kurz und gut,
Dergleichen gleichfalls anzulegen;
Damit du, losgebunden, frei,
Erfahrest, was das Leben sei.
[...]
Hör auf, mit deinem Gram zu spielen,
Der wie ein Geier dir am Leben frißt;
Die schlechteste Gesellschaft läßt dich fühlen,
Daß du ein Mensch mit Menschen bist.
Doch so ist's nicht gemeint,
Dich unter das Pack zu stoßen.
Ich bin keiner von den Großen;
Doch willst du, mit mir vereint,
Deine Schritte durchs Leben nehmen,
So will ich mich gern bequemen,
Dein zu sein, auf der Stelle.
Ich bin dein Geselle,
Und mach ich dir's recht,
Bin ich dein Diener, bin dein Knecht!
Faust. Und was soll ich dagegen dir erfüllen?
Mephistopheles.
Dazu hast du noch eine lange Frist.
Faust. Nein, nein! Der Teufel ist ein Egoist
Und tut nicht leicht um Gottes willen,
Was einem andern nützlich ist.
Sprich die Bedingung deutlich aus;
Ein solcher Diener bringt Gefahr ins Haus.
Mephistopheles.
Ich will mich *hier* zu deinem Dienst verbinden,
Auf deinen Wink nicht rasten und nicht ruhn;
Wenn wir uns *drüben* wiederfinden,
So sollst du mir das Gleiche tun.
Faust. Das Drüben kann mich wenig kümmern;
Schlägst du erst diese Welt zu Trümmern,
Die andre mag darnach entstehn.
Aus dieser Erde quillen meine Freuden,

Und diese Sonne scheinet meinen Leiden;
Kann ich mich erst von ihnen scheiden,
Dann mag, was will und kann, geschehn.
Davon will ich nichts weiter hören,
Ob man auch künftig haßt und liebt
Und ob es auch in jenen Sphären
Ein Oben oder Unten gibt.

Mephistopheles. In diesem Sinne kannst du's wagen.
Verbinde dich; du sollst in diesen Tagen
Mit Freuden meine Künste sehn,
Ich gebe dir, was noch kein Mensch gesehn.

Faust. Was willst du armer Teufel geben?
Ward eines Menschen Geist, in seinem hohen Streben,
Von deinesgleichen je gefaßt?
Doch hast du Speise, die nicht sättigt, hast
Du rotes Gold, das ohne Rast,
Quecksilber gleich, dir in der Hand zerrinnt,
Ein Spiel, bei dem man nie gewinnt,
Ein Mädchen, das an meiner Brust
Mit Äugeln schon dem Nachbar sich verbindet,
Der Ehre schöne Götterlust,
Die wie ein Meteor verschwindet?
Zeig mir die Frucht, die fault, eh man sie bricht,
Und Bäume, die sich täglich neu begrünen!

Mephistopheles.
Ein solcher Auftrag schreckt mich nicht,
Mit solchen Schätzen kann ich dienen.
Doch, guter Freund, die Zeit kommt auch heran,
Wo wir was Guts in Ruhe schmausen mögen.

Faust. Werd ich beruhigt je mich auf ein Faulbett legen,
So sei es gleich um mich getan!
Kannst du mich schmeichelnd je belügen,
Daß ich mir selbst gefallen mag,
Kannst du mich mit Genuß betrügen:
Das sei für mich der letzte Tag!
Die Wette biet ich!

Mephistopheles.   Topp!

Faust.   Und Schlag auf Schlag!
  Werd ich zum Augenblicke sagen:
  Verweile doch! du bist so schön!
  Dann magst du mich in Fesseln schlagen,
  Dann will ich gern zugrunde gehn!
  Dann mag die Totenglocke schallen,
  Dann bist du deines Dienstes frei,
  Die Uhr mag stehn, der Zeiger fallen,
  Es sei die Zeit für mich vorbei!
[...]
Mephistopheles. Euch ist kein Maß und Ziel gesetzt.
  Beliebt's Euch, überall zu naschen,
  Im Fliehen etwas zu erhaschen,
  Bekomm Euch wohl, was Euch ergetzt.
  Nur greift mir zu und seid nicht blöde!
Faust. Du hörest ja, von Freud' ist nicht die Rede.
  Dem Taumel weih ich mich, dem schmerzlichsten Genuß,
  Verliebtem Haß, erquickendem Verdruß.
  Mein Busen, der vom Wissensdrang geheilt ist,
  Soll keinen Schmerzen künftig sich verschließen,
  Und was der ganzen Menschheit zugeteilt ist,
  Will ich in meinem innern Selbst genießen,
  Mit meinem Geist das Höchst' und Tiefste greifen,
  Ihr Wohl und Weh auf meinen Busen häufen
  Und so mein eigen Selbst zu ihrem Selbst erweitern,
  Und, wie sie selbst, am End auch ich zerscheitern.
Mephistopheles.
  O glaube mir, der manche tausend Jahre
  An dieser harten Speise kaut,
  Daß von der Wiege bis zur Bahre
  Kein Mensch den alten Sauerteig verdaut!
  Glaub unsereinem, dieses Ganze
  Ist nur für einen Gott gemacht!
  Er findet sich in einem ew'gen Glanze
  Uns hat er in die Finsternis gebracht,
  Und euch taugt einzig Tag und Nacht.
Faust. Allein ich will!

Mephistopheles.   Das läßt sich hören!
  Doch nur vor *einem* ist mir bang;
  Die Zeit ist kurz, die Kunst ist lang.
  Ich dächt, Ihr ließet Euch belehren.
  Assoziiert Euch mit einem Poeten,
  Laßt den Herrn in Gedanken schweifen
  Und alle edlen Qualitäten
  Auf Euren Ehrenscheitel häufen:
  Des Löwen Mut,
  Des Hirsches Schnelligkeit,
  Des Italieners feurig Blut,
  Des Nordens Dau'rbarkeit.
  Laßt ihn Euch das Geheimnis finden,
  Großmut und Arglist zu verbinden
  Und Euch mit warmen Jugendtrieben
  Nach einem Plane zu verlieben.
  Möchte selbst solch einen Herren kennen,
  Würd ihn Herrn Mikrokosmus nennen.
Faust. Was bin ich denn, wenn es nicht möglich ist,
  Der Menschheit Krone zu erringen,
  Nach der sich alle Sinne dringen?
Mephistopheles. Du bist am Ende – was du bist.
  Setz dir Perücken auf von Millionen Locken,
  Setz deinen Fuß auf ellenhohe Socken,
  Du bleibst doch immer, was du bist.
Faust. Ich fühl's, vergebens hab ich alle Schätze
  Des Menschengeists auf mich herbeigerafft,
  Und wenn ich mich am Ende niedersetze,
  Quillt innerlich doch keine neue Kraft;
  Ich bin nicht um ein Haar breit höher,
  Bin dem Unendlichen nicht näher.
Mephistopheles. Mein guter Herr, Ihr seht die Sachen,
  Wie man die Sachen eben sieht;
  Wir müssen das gescheiter machen,
  Eh uns des Lebens Freude flieht.
  Was Henker! freilich Händ und Füße
  Und Kopf und Hintern, die sind dein;

Doch alles, was ich frisch genieße,
Ist das drum weniger mein?
Wenn ich sechs Hengste zahlen kann,
Sind ihre Kräfte nicht die meine?
Ich renne zu und bin ein rechter Mann,
Als hätt ich vierundzwanzig Beine.
Drum frisch! Laß alles Sinnen sein,
Und grad mit in die Welt hinein!
Ich sag es dir: ein Kerl, der spekuliert,
Ist wie ein Tier, auf dürrer Heide
Von einem bösen Geist im Kreis herumgeführt,
Und ringsumher liegt schöne grüne Weide.

Faust. Wie fangen wir das an?

Mephistopheles.   Wir gehen eben fort.
Was ist das für ein Marterort!
Was heißt das für ein Leben führen,
Sich und die Jungens ennuyieren[1]?
Laß du das dem Herrn Nachbar Wanst!
Was willst du dich das Stroh zu dreschen plagen?
Das Beste, was du wissen kannst,
Darfst du den Buben doch nicht sagen.
Gleich hör ich einen auf dem Gange!

Faust. Mir ist's nicht möglich, ihn zu sehn.

Mephistopheles. Der arme Knabe wartet lange,
Der darf nicht ungetröstet gehn.
Komm, gib mir deinen Rock und Mütze;
Die Maske muß mir köstlich stehn.
(Er kleidet sich um.)
Nun überlaß es meinem Witze!
Ich brauche nur ein Viertelstündchen Zeit;
Indessen mache dich zur schönen Fahrt bereit.
                    (Faust ab.)

Mephistopheles *(in Fausts langem Kleide).*
Verachte nur Vernunft und Wissenschaft,
Des Menschen allerhöchste Kraft,

---

1 (frz.) langweilen.

Laß nur in Blend- und Zauberwerken
Dich von dem Lügengeist bestärken,
So hab ich dich schon unbedingt –
Ihm hat das Schicksal einen Geist gegeben,
Der ungebändigt immer vorwärtsdringt
Und dessen übereiltes Streben
Der Erde Freuden überspringt.
Den schlepp ich durch das wilde Leben,
Durch flache Unbedeutenheit,
Er soll mir zappeln, starren, kleben,
Und seiner Unersättlichkeit
Soll Speis und Trank vor gier'gen Lippen schweben;
Er wird Erquickung sich umsonst erflehn,
Und hätt er sich auch nicht dem Teufel übergeben,
Er müßte doch zugrunde gehn!

[...]

Faust tritt auf.

Faust. Wohin soll es nun gehn?
Mephistopheles.   Wohin es dir gefällt.
Wir sehn die kleine, dann die große Welt.
Mit welcher Freude, welchem Nutzen
Wirst du den Cursum[2] durchschmarutzen!
Faust. Allein bei meinem langen Bart
Fehlt mir die leichte Lebensart.
Es wird mir der Versuch nicht glücken;
Ich wußte nie mich in die Welt zu schicken.
Vor andern fühl ich mich so klein;
Ich werde stets verlegen sein.
Mephistopheles.
Mein guter Freund, das wird sich alles geben;
Sobald du dir vertraust, sobald weißt du zu leben.
Faust. Wie kommen wir denn aus dem Haus?
Wo hast du Pferde, Knecht und Wagen?
Mephistopheles. Wir breiten nur den Mantel aus,
Der soll uns durch die Lüfte tragen.

2 (lat.) Reise, Fahrt.

Du nimmst bei diesem kühnen Schritt
Nur keinen großen Bündel mit.
Ein bißchen Feuerluft, die ich bereiten werde,
Hebt uns behend von dieser Erde.
Und sind wir leicht, so geht es schnell hinauf:
Ich gratuliere dir zum neuen Lebenslauf!

Goethe: Faust. Der Tragödie erster Teil. Hrsg.
von Lothar J. Scheithauer. Stuttgart: Reclam, 1971
[u. ö.]. (Reclams Universal-Bibliothek. Nr. 1.)
S. 45 f., 48–50, 51–54, 59 f.

Die folgende Szene aus »Faust« I entspricht Wendlas Monolog II,6 (»Bergmanns Garten im Morgensonnenglanz«):

Gretchens Stube

Gretchen am Spinnrade, allein.

Meine Ruh ist hin,
Mein Herz ist schwer;
Ich finde sie nimmer
Und nimmermehr.

Wo ich ihn nicht hab,
Ist mir das Grab,
Die ganze Welt
Ist mir vergällt.

Mein armer Kopf
Ist mir verrückt,
Mein armer Sinn
Ist mir zerstückt.

Meine Ruh ist hin,
Mein Herz ist schwer;
Ich finde sie nimmer
Und nimmermehr.

Nach ihm nur schau ich
Zum Fenster hinaus,

Nach ihm nur geh ich
Aus dem Haus.

Sein hoher Gang,
Sein edle Gestalt,
Seines Mundes Lächeln,
Seiner Augen Gewalt

Und seiner Rede
Zauberfluß.
Sein Händedruck
Und ach, sein Kuß!

Meine Ruh ist hin,
Mein Herz ist schwer,
Ich finde sie nimmer
Und nimmermehr.

Mein Busen drängt
Sich nach ihm hin.
Ach dürft ich fassen
Und halten ihn

Und küssen ihn,
So wie ich wollt,
An seinen Küssen
Vergehen sollt!

Ebd. S. 101–103.

Die »Faust«-Szene »Trüber Tag. Feld« hat nach Wedekinds eigener Aussage (Vorrede zu »Oaha«, Kap. IV) als Vorbild für III,3 (»Herr und Frau Gabor«) gedient:

Trüber Tag. Feld

Faust. Mephistopheles.

Faust. Im Elend! Verzweifelnd! Erbärmlich auf der Erde lange verirrt und nun gefangen! Als Missetäterin im Kerker zu entsetzlichen Qualen eingesperrt, das holde unseli-

ge Geschöpf! Bis dahin! dahin! – Verräterischer, nichts-
würdiger Geist, und das hast du mir verheimlicht! – Steh
nur, steh! wälze die teuflischen Augen ingrimmend im
Kopf herum! Steh und trutze mir durch deine unerträg-
liche Gegenwart! Gefangen! Im unwiederbringlichen
Elend! Bösen Geistern übergeben und der richtenden ge-
fühllosen Menschheit! Und mich wiegst du indes in abge-
schmackten Zerstreuungen, verbirgst mir ihren wachsen-
den Jammer und lässest sie hilflos verderben!

Mephistopheles. Sie ist die erste nicht.

Faust. Hund! abscheuliches Untier! – Wandle ihn, du
unendlicher Geist! wandle den Wurm wieder in seine
Hundsgestalt, wie er sich oft nächtlicherweile gefiel, vor
mir herzutrotten, dem harmlosen Wandrer vor die Füße
zu kollern und sich dem niederstürzenden auf die Schultern zu hängen. Wandl' ihn wieder in seine Lieblingsbil-
dung, daß er vor mir im Sand auf dem Bauch krieche, ich
ihn mit Füßen trete, den Verworfnen! – »Die erste nicht!«
– Jammer! Jammer! von keiner Menschenseele zu fassen,
daß mehr als *ein* Geschöpf in die Tiefe dieses Elendes
versank, daß nicht das erste genugtat für die Schuld aller
übrigen in seiner windenden Todesnot vor den Augen der
ewig Verzeihenden! Mir wühlt es Mark und Leben durch
das Elend dieser einzigen – du grinsest gelassen über das
Schicksal von Tausenden hin!

Mephistopheles. Nun sind wir schon wieder an der
Grenze unsres Witzes, da, wo euch Menschen der Sinn
überschnappt. Warum machst du Gemeinschaft mit uns,
wenn du sie nicht durchführen kannst? Willst fliegen und
bist vorm Schwindel nicht sicher? Drangen wir uns dir
auf, oder du dich uns?

Faust. Fletsche deine gefräßigen Zähne mir nicht so entgegen! Mir ekelt's! – Großer, herrlicher Geist, der du mir zu
erscheinen würdigtest, der du mein Herz kennest und
meine Seele, warum an den Schandgesellen mich schmie-
den, der sich am Schaden weidet und am Verderben sich
letzt?

Mephistopheles. Endigst du?

Faust. Rette sie! oder weh dir! Den gräßlichsten Fluch über dich auf Jahrtausende!

Mephistopheles. Ich kann die Bande des Rächers nicht lösen, seine Riegel nicht öffnen. – »Rette sie!« – Wer war's, der sie ins Verderben stürzte? Ich oder du?

(Faust blickt wild umher.)

Greifst du nach dem Donner? Wohl, daß er euch elenden Sterblichen nicht gegeben ward! Den unschuldig Entgegnenden zu zerschmettern, das ist so Tyrannenart, sich in Verlegenheiten Luft zu machen.

Faust. Bringe mich hin! Sie soll frei sein!

Mephistopheles. Und die Gefahr, der du dich aussetzest? Wisse, noch liegt auf der Stadt Blutschuld von deiner Hand. Über des Erschlagenen Stätte schweben rächende Geister und lauern auf den wiederkehrenden Mörder.

Faust. Noch das von dir? Mord und Tod einer Welt über dich Ungeheuer! Führe mich hin, sag ich, und befrei sie.

Mephistopheles. Ich führe dich, und was ich tun kann, höre! Habe ich alle Macht im Himmel und auf Erden? Des Türners Sinne will ich umnebeln, bemächtige dich der Schlüssel und führe sie heraus mit Menschenhand! Ich wache, die Zauberpferde sind bereit, ich entführe euch. Das vermag ich.

Faust. Auf und davon!

Ebd. S. 131–133.

Georg Büchners (1813–37) Dramenfragment »Woyzeck« (postum 1879) mit seiner Bilderreihung und seiner Sozialkritik hat starken Einfluß auf »Frühlings Erwachen« ausgeübt (vgl. Fechter, Kap. V,1). Eine spezifische strukturelle Parallele stellt der Einschub eines Märchens dar, das bei Büchner einen negativen, bei Wedekind einen positiven Ausgang hat (vgl. Anm. zu 24,23–25,5), das aber in beiden Fällen zum Mord (Maries) bzw. Selbstmord (Moritz') in Beziehung steht:

Marie mit Mädchen vor der Haustür.

Mädchen.   Wie scheint die Sonn St. Lichtmeßtag
             Und steht das Korn im Blühn.
             Sie gingen wohl die Straße hin
             Sie gingen zu zwei und zwei
             Die Pfeifer gingen vorn
             Die Geiger hinte drein.
             Sie hatte rote Sock ...

1. Kind. 's ist nit schön.

2. [Kind.] Was willst du auch immer.

	Was hast zuerst angefangen.	
		Warum?
[Kinder.]	Ich kann nit.	Darum?
	Es muß singen.	Aber warum darum?
	Marieche sing du uns.	

Marie. Kommt ihr klei Krabben!

        Ringle, ringel Rosenkranz. König Herodes.
    Großmutter erzähl.

Großmutter. Es war eimal ein arm Kind und hat kei Vater
        und kei Mutter[,] war alles tot und war niemand mehr auf
        der Welt. Alles tot, und es ist hingangen und hat [gesucht
        Tag und Nacht. Und wie auf der Erd niemand mehr war
        wollt's in Himmel gehn, und der Mond guckt es so
        freundlich an und wie's endlich zum Mond kam, war's ein
        Stück faul Holz und da ist es zur Sonn gangen und wie es
        zur Sonn kam war's ein [verwelkt] Sonneblum und wie's
        zu den Sterne kam, warens klei golde Mück, die waren
        angesteckt wie der Neuntöter sie auf die Schlehen steckt
        und wie's wieder auf die Erd wollt, war die Erd ein umge-
        stürzter Hafen und war ganz allein und da hat sich's hin
        gesetzt und geweint, und da sitzt es noch und ist ganz
        allein.

Woyzeck. Marie!

Marie *(erschreckt)*. Was ist.

Woyzeck. Marie wir wolln gehn 's ist Zeit.

Marie. Wohinaus.
Woyzeck. Weiß ich's?

Büchner: Woyzeck. Kritische Lese- und Arbeits-
ausgabe. Hrsg. von Lothar Bornscheuer. Stuttgart:
Reclam, 1972 [u.ö.]. (Reclams Universal-Bibliothek. Nr. 9347.) S. 39, 41.

Die Gestalt der Ilse geht auf die an Lokalsagen angelehnte
Personifizierung des Flüßchens Ilse in Heinrich Heines
(1797–1856) »Reisebild« »Die Harzreise« (1824) zurück (vgl.
Anm. zu 39,6 f.):

»Je tiefer wir hinabstiegen, desto lieblicher rauschte das unterirdische Gewässer, nur hier und da, unter Gestein und
Gestrüppe, blinkte es hervor, und schien heimlich zu lau-
schen, ob es ans Licht treten dürfe, und endlich kam eine
kleine Welle entschlossen hervorgesprungen. Nun zeigt sich
die gewöhnliche Erscheinung: ein Kühner macht den Anfang, und der große Troß der Zagenden wird plötzlich, zu
seinem eigenen Erstaunen, von Mut ergriffen und eilt, sich
mit jenem ersten zu vereinigen. Eine Menge anderer Quellen
hüpften jetzt hastig aus ihrem Versteck, verbanden sich mit
der zuerst hervorgesprungenen, und bald bildeten sie zusammen ein schon bedeutendes Bächlein, das in unzähligen
Wasserfällen und in wunderlichen Windungen das Bergtal
hinabrauscht. Das ist nun die Ilse, die liebliche, süße Ilse. Sie
zieht sich durch das gesegnete Ilsetal, an dessen beiden Seiten
sich die Berge allmählich höher erheben, und diese sind bis
zu ihrem Fuße meistens mit Buchen, Eichen und gewöhn-
lichem Blattgesträuche bewachsen, nicht mehr mit Tannen
und anderm Nadelholz. Denn jene Blätterholzart wird vor-
herrschend auf dem ›Unterharze‹, wie man die Ostseite des
Brockens nennt, im Gegensatz zur Westseite desselben, die
der ›Oberharz‹ heißt und wirklich viel höher ist, also auch
viel geeigneter zum Gedeihen der Nadelhölzer. Es ist unbeschreibbar, mit welcher Fröhlichkeit, Naivität
und Anmut die Ilse sich hinunterstürzt über die abenteuer-
lich gebildeten Felsstücke, die sie in ihrem Lauf findet, so

daß das Wasser hier wild emporzischt oder schäumend über-
läuft, dort aus allerlei Steinspalten, wie aus vollen Gießkan-
nen, in reinen Bögen sich ergießt und unten wieder über die
kleinen Steine hintrippelt, wie ein munteres Mädchen. Ja, die
Sage ist wahr, die Ilse ist eine Prinzessin, die lachend und
blühend den Berg hinabläuft. Wie blinkt im Sonnenschein
ihr weißes Schaumgewand! Wie flattern im Winde ihre sil-
bernen Busenbänder! Wie funkeln und blitzen ihre Diaman-
ten! Die hohen Buchen stehen dabei gleich ernsten Vätern,
die verstohlen lächelnd dem Mutwillen des lieblichen Kindes
zusehen; die weißen Birken bewegen sich tantenhaft ver-
gnügt und doch zugleich ängstlich über die gewagten
Sprünge; der stolze Eichbaum schaut drein wie ein verdrieß-
licher Oheim, der das schöne Wetter bezahlen soll; die Vö-
gelein in den Lüften jubeln ihren Beifall, die Blumen am
Ufer flüstern zärtlich: Oh, nimm uns mit, nimm uns mit,
lieb Schwesterchen! – aber das lustige Mädchen springt un-
aufhaltsam weiter, und plötzlich ergreift sie den träumenden
Dichter, und es strömt auf mich herab ein Blumenregen von
klingenden Strahlen und strahlenden Klängen, und die Sinne
vergehen mir vor lauter Herrlichkeit, und ich höre nur noch
die flötensüße Stimme:

>Ich bin die Prinzessin Ilse
>Und wohne im Ilsenstein;
>Komm mit nach meinem Schlosse,
>Wir wollen selig sein.
>
>Dein Haupt will ich benetzen
>Mit meiner klaren Well',
>Du sollst deine Schmerzen vergessen,
>Du sorgenkranker Gesell!
>
>In meinen weißen Armen,
>An meiner weißen Brust,
>Da sollst du liegen und träumen
>Von alter Märchenlust.

Ich will dich küssen und herzen,
Wie ich geherzt und geküßt
Den lieben Kaiser Heinrich,
Der nun gestorben ist.

Es bleiben tot die Toten,
Und nur der Lebendige lebt;
Und ich bin schön und blühend,
Mein lachendes Herze bebt.

Komm in mein Schloß herunter,
In mein kristallenes Schloß,
Da tanzen die Fräulein und Ritter,
Es jubelt der Knappentroß.

Es rauschen die seidenen Schleppen,
Es klirren die Eisensporn,
Die Zwerge trompeten und pauken
Und fiedeln und blasen das Horn.

Doch dich soll mein Arm umschlingen,
Wie er Kaiser Heinrich umschlang;
Ich hielt ihm zu die Ohren,
Wenn die Trompet' erklang.

[...]

Wie im Traume fortwandelnd, hatte ich fast nicht bemerkt,
daß wir die Tiefe des Ilsetales verlassen und wieder bergauf
stiegen. Dies ging sehr steil und mühsam, und mancher von
uns kam außer Atem. Doch wie unser seliger Vetter, der zu
Mölln[3] begraben liegt, dachten wir im voraus ans Bergabstei-
gen und waren um so vergnügter. Endlich gelangten wir auf
den Ilsenstein.

[...]

Wie nun die Natur durch Stellung und Form den Ilsenstein
mit phantastischen Reizen geschmückt, so hat auch die Sage
ihren Rosenschein darüber ausgegossen. Gottschalk berich-

---

3 In Mölln bei Lübeck soll Till Eulenspiegel begraben sein.

tet: ›Man erzählt, hier habe ein verwünschtes Schloß gestanden, in welchem die reiche, schöne Prinzessin Ilse gewohnt, die sich noch jetzt jeden Morgen in der Ilse bade; und wer so glücklich ist, den rechten Zeitpunkt zu treffen, werde von ihr in den Felsen, wo ihr Schloß sei, geführt und königlich belohnt.‹ Andere erzählen von der Liebe des Fräuleins Ilse und des Ritters von Westenberg eine hübsche Geschichte, die einer unserer bekanntesten Dichter romantisch in der ›Abendzeitung‹ besungen hat.[4] Andere wieder erzählen anders: Es soll der altsächsische Kaiser Heinrich gewesen sein, der mit Ilse, der schönen Wasserfee, in ihrer verzauberten Felsenburg die kaiserlichsten Stunden genossen. Ein neuerer Schriftsteller, Herr Niemann, Wohlgeb., der ein Harzreisebuch[5] geschrieben, worin er die Gebirgshöhen, Abweichungen der Magnetnadel, Schulden der Städte und dergleichen mit löblichem Fleiße und genauen Zahlen angegeben, behauptet indes: ›Was man von der schönen Prinzessin Ilse erzählt, gehört dem Fabelreiche an.‹ So sprechen alle diese Leute, denen eine solche Prinzessin niemals erschienen ist, wir aber, die wir von schönen Damen besonders begünstigt werden, wissen das besser. Auch Kaiser Heinrich wußte es.«

Heine: Die Harzreise. Mit einem Nachwort von Friedrich Sengle. Textrevision und Anmerkungen von Manfred Windfuhr. Stuttgart: Reclam, 1955 [u. ö.]. (Reclams Universal-Bibliothek. Nr. 2221.) S. 72–76.

Mit Szene II,3 (Hänschen Rilow ›ermordet‹ Gemäldereproduktionen) knüpft Wedekind an die Szene V,2 in Shakespeares »Othello« an, in der Othello seine fälschlich für untreu gehaltene Frau Desdemona ersticht. Wedekind hat eine Reihe von Zeilen wörtlich von Shakespeare übernommen (vgl. Anm. zu 31,31 f.; 32,13):

4 Heine denkt an das Gedicht »Der Ilsenstein und Westerberg im Ilsentale« (1824) von Theodor Hell.
5 Ludwig Friedrich Niemann, »Handbuch für Harzreisende«, Halberstadt 1824.

Schlafzimmer.

Desdemona schlafend, im Bett. Ein Licht brennt neben ihr.
Othello tritt herein.

Othello. Die Sache will's, die Sache will's, mein Herz!
  Laßt sie mich euch nicht nennen, keusche Sterne! –
  Die Sache will's. – Doch nicht ihr Blut vergieß ich;
  Noch ritz ich diese Haut, so weiß wie Schnee
  Und sanft wie eines Denkmals Alabaster. –
  (Er legt seinen Degen ab.)
  Doch sterben muß sie, sonst betrügt sie andre.
  Tu aus das Licht, und dann – Tu aus das Licht; –
  Ja, lösch ich dich, du flammenheller Diener –
  Kann ich dein vorig Licht dir wiedergeben,
  Sollt ich's bereun; – doch *dein* Licht ausgetan,
  Du reizend Muster herrlichster Natur,
  Nie find ich den Prometheusfunken wieder,
  Dein Licht zu zünden. Pflückt ich deine Rose,
  Nie kann ich ihr den Lebenswuchs erneun,
  Sie muß, muß welken; dufte mir vom Stamm! –
  (Küßt sie.)
  O würz'ger Hauch, der selbst Gerechtigkeit
  Ihr Schwert zu brechen zwingt! – Noch einen! einen!
  Sei wann du tot bist so, dann töt ich dich
  Und liebe dich nachher – noch einen und den letzten!
  So süß war nie so tödlich. Ich muß weinen.
  Doch sind's grausame Tränen; dieser Schmerz
  Ist wie des Himmels, strafend, wo er liebt. –
  Sie wacht. –
Desdemona.   Wer da? Othello?
Othello.   Ja, Desdemona.
Desdemona. Wollt Ihr zu Bett gehn, mein Gemahl?
Othello. Hast du zu Nacht gebetet, Desdemona?
Desdemona. Ja, mein Gemahl!
Othello. Kannst du dich einer Sünde noch erinnern,
  Nicht ausgesöhnt dem Himmel und der Gnade,
  So flehe jetzt alsbald.

Desdemona.
  Ach, mein Gemahl! Was willst du damit sagen?
Othello. Wohl, tu es und sei kurz; ich geh beiseite;
  Nicht möcht ich deinen Geist in Sünden töten,
  Nein, Gott verhüt's! nicht deine Seele töten.
Desdemona.
  Sprichst du vom Töten?
Othello.   Ja!
Desdemona.   Dann, güt'ger Himmel,
  Erbarm dich mein!
Othello.   Amen von ganzem Herzen!
Desdemona.
  Wenn du so sprichst, dann wirst du mich nicht töten!
Othello. Hum! –
Desdemona.
  Und dennoch fürcht ich dich, denn du bist schrecklich,
  Wenn so dein Auge rollt.
  Warum ich fürchten sollte, weiß ich nicht,
  Da ich von Schuld nichts weiß; doch fühl ich, daß ich
                                              fürchte.
Othello. Denk deiner Sünde.
Desdemona. Das ist zu dir die Herzensliebe.
Othello. Und dafür stirbst du.
Desdemona. Grausamer Tod, der nur um Liebe tötet! –
  Ach warum nagst du so die Unterlippe?
  Dein ganzer Bau erbebt in blut'ger Wut.
  Das sind Vorzeichen; doch ich hoff, ich hoffe,
  Sie deuten nicht auf mich.
Othello.   Schweig und sei still! –
Desdemona. Ich schweige; was begehrst du? –
Othello. Das Tuch, das ich so wert hielt und dir schenkte,
  Du gabst es Cassio.
Desdemona.   Nein, bei Seel' und Leben!
  Ruf ihn herbei und frag ihn.
Othello. Behüte, Kind, behüte dich vor Meineid,
  Du liegst auf deinem Sterbebette.
Desdemona. Ja, doch nicht jetzt zu sterben.

Othello.   Ja, alsbald.
  Darum bekenn aufrichtig deine Sünde;
  Denn jeden Punkt mit einem Eid verleugnen
  Nicht wälzt es ab noch beugt's der Überzeugung Last,
  Die mich zu Boden drückt. Du bist am Sterben!
Desdemona. Dann, Gott, erbarm dich mein!
Othello.   Ich sage Amen!
Desdemona.
  Auch du erbarm dich mein! Nie hab ich dich
  Jemals beleidigt, Cassio nie geliebt
  Als mit der Liebe, die der Himmel selbst
  Gestattet; niemals gab ich ihm ein Pfand.
Othello. Bei Gott, ich sah mein Tuch in seinen Händen;
  Meineidig Weib! Ha! du versteinst mein Herz
  Und machst zum Mord, was ich beginnen will,
  Was ich als Opfer meinte.
  Ich sah das Tuch.
Desdemona.   So hat er's denn gefunden;
  Nie hab ich's ihm gegeben; ruf ihn her,
  Daß er bekennt, wie's ist.
Othello.   Er hat bekannt.
Desdemona. Was, teurer Herr?
Othello.   Daß er dein Freund gewesen –
Desdemona. Wie? unerlaubt?
Othello.   Ja!
Desdemona.   Das kann er nicht sagen.
Othello. O nein, sein Mund ist stumm;
  Der treue Jago hat dafür gesorgt.
Desdemona.
  Oh! meine Furcht erklärt mir's. Wie? Er tot?
Othello. Ob jedes Haar ein Leben war, mein Grimm
  Verschlang sie alle.
Desdemona. O Gott! Er ist verraten, ich verloren!
Othello. Ha, Metze[6]! Weinst um ihn vor meinen Augen? –
Desdemona. Verstoße mich! Oh, töte mich nur nicht. –

6 Dirne.

Othello. Nieder mit dir, Metze!

Desdemona.

Töte mich morgen, laß mich heut noch leben!

Othello. Kein Sträuben!

Desdemona.   Nur ein Stündchen.

Othello.   Ist's getan,

Braucht's keines Zögerns.

Desdemona.

Nur, bis ich noch gebetet!

Othello.   's ist zu spät.

(Er erstickt sie.)

Emilia *(draußen).*

Mein gnäd'ger Herr! He! Holla! Gnäd'ger Herr!

Othello.

Was für ein Lärm? Nicht tot? Noch nicht ganz tot? –

Ich bin zwar grausam, aber doch barmherzig;

Nicht möcht ich dir verlängern deine Qual. –

(Ersticht sie mit dem Dolch.)

So, so.

Shakespeare: Othello. Tragödie. Übers. von Wolf Heinrich Graf Baudissin. Hrsg. von Dietrich Klose. Stuttgart: Reclam, 1971 [u.ö.]. (Reclams Universal-Bibliothek. Nr. 21.) S. 96–99.

IV. Dokumente zur Entstehungsgeschichte

Auszüge aus Briefen Wedekinds (zitiert nach: Frank Wedekind, »Gesammelte Briefe«, hrsg. von Fritz Strich, 2 Bde., München: Georg Müller, 1924):

An Wedekinds Schulfreund Adolph Vögtlin, der sich später als Schweizer Dichter einen Namen machte (Nr. 5; Schloß Lenzburg, Juli 1881):

»Nun noch eine Nachricht, die sowohl Dir wie Deinen Genossen von der Kantonsschule sehr unerfreulich klingen wird: Letzten Freitag schwänzte Frank Oberlin die Schule. Samstagsmorgen um 4 Uhr nimmt er sein Geschichtsbuch und geht in den Schachen, um Geschichte zu repetieren. Zwei Stunden später, um 6 Uhr, fand man seinen Leichnam, der in der Telli von der Aare aufs Land geworfen war. Wie er umgekommen, weiß niemand zu sagen. Die Vermuthungen aber über seinen Tod halte ich für zu grundlos und unwürdig, als daß ich sie weiter melden möchte. Seine irdische Hülle wurde nach Muri gebracht, um dort beerdigt zu werden. Die Gedanken eines Pessimisten über diesen Vorfall wirst Du errathen. Ich umgehe also ihre Mittheilung.«

An Adolph Vögtlin (Nr. 6; Schloß Lenzburg, August 1881):

»Gegen Deinen süßen Trost in Bezug auf Deine Sicherheit: ›Unkraut verdirbt nicht‹ möchte ich aber dann doch in allem Ernste protestieren. Diesmal stehe ich als warnender Geist vor Deiner trüben Seele und möchte Dich bewahren vor der schrecklichen Selbstverachtung, denn ihre Folgen sind furchtbar und unabwendbar. Selbstmord folgt auf Selbstverachtung so gewiß, wie Schmerz auf die Freude, wie Regen auf Sonnenschein.

Was nun unsere Diskussion über die Liebe anbelangt, so muß ich endlich nach heldenmüthiger Vertheidigung meiner Meinung kapitulieren. Ich thue es mit Freude, da Du mir in diesen Anschauungen doch näher bist, als ich vermuthete. –

Oder muß ich etwa für wahr halten, daß Du Pessimist geworden bist? – Das würde mich allerdings am allermeisten
freuen, denn meines Erachtens kann nur ein Pessimist wahr-
haft glücklich sein, da er doch alle Hoffnung und alles ängst-
liche ›Langen und Bangen‹[1] verlernt hat. – Da ich nunmehr
in unserem Liebesstreit kapituliert habe, so will ich Dir noch
eine Hinterthür zeigen, durch welche ich mich hätte retirie-
ren können. Da du aber darauf nicht gefaßt warst und ich im
Beginn des Kampfes selber nicht daran dachte, so habe ich
keinen Gebrauch davon gemacht. – Nun höre aber, auf welche Weise ich aus einem Christen ein ungläubiger Skeptiker
wurde. Es sind nun bald zehn Jahre her, als ich in Hannover
einst auf der Straße einen Mann sah, der im Vorübergehen 1
Fr. in einen am Hause stehenden Opferstock warf, während-
dem neben mir jemand zu seinem Begleiter sagte, indem er
auf den braven Geber zeigte: ›Der will auch ein Geschäft mit
unserem Herrgott machen.‹ Diese Worte habe ich nie vergessen und sie führten mich später im Verein mit vielen anderen Motiven auf die Überzeugung, daß der Mensch nichts
thue ohne angemessene Belohnung, *daß er keine andere
Liebe kennt, als Egoismus.* Denn abgesehen von aller Vergel-
tung hier oder im Jenseits, ist uns doch das Bewußtsein einer
nützlichen Handlung, das Gewissen, eine sonst uner-
schwingliche Belohnung, die wir wohl zu berechnen und zu
schätzen wissen. Wem aber das Gewissen nicht solche Belohnung gewähren kann, wer nicht den inneren Genuß von
seinen Wohlthaten hat, der verübt auch keine. Wir sagen, er
sei ein geiziger, gefühlloser Mensch. Was kann er dafür? –
Ich brauche Dir wohl nicht zu erklären, da Geschlechts- und
Freundesliebe von vornherein schon nur dem Egoismus entspringen, daß wir nur solchen Menschen, die uns nichts an-
gehen, uneigennützig wohlthätig sein könnten, wäre nicht
das Gewissen. – Ich weiß zwar sehr wohl, daß diese Anschauung schon im Alterthum aufgetaucht ist, ich bin aber
trotzdem nicht imstande, mich von ihr zu trennen, wie auch
noch niemand imstande war, sie mir zu widerlegen.«

1 Zitat aus Goethes »Egmont« (3. Aufzug, Lied Klärchens).

An Adolph Vögtlin (Nr. 7; Schloß Lenzburg, November 1881):

»Nun muß ich aber notwendig wieder auf meinen Egoismus zurückkommen auf die Gefahr hin, dir dadurch langweilig zu werden, aber du darfst nicht glauben, daß ich nicht für meine Worte stehe, solange sie noch zu verteidigen sind. Wie Du recht vermutet hast, so habe ich mich allerdings in meinem letzten Briefe unklar ausgedrückt und unsere Begriffe stimmen auch nicht so ganz überein. Aber ungeachtet dessen, daß unsere Ideen über Mensch und Gott himmelweit auseinandergehen, will ich es mit Deiner Erlaubnis jetzt noch einmal versuchen, Dich von der Richtigkeit meiner Anschauung zu überzeugen. – Zuerst über Gewissen und Gefühl: Du sagst in Betreff einer Handlung gemäß der Gewissensvorschrift: ›Er handelt dabei nicht eigenmächtig; das Gewissen befiehlt ihm die Handlung: er *muß*‹.[2] Nun sagt aber Lessing: ›Kein Mensch muß müssen‹.[3] Schiller sagt: ›Der Mensch ist frei geschaffen, ist frei.‹ Und ich habe schon so häufig die Vorschriften des Gewissens übertreten, daß ich Dir versichern kann, daß hier von einem Müssen nicht die Rede ist. Nun höre aber meine Idee darüber. Bei näherer Untersuchung fand ich keinen wesentlichen Unterschied zwischen Gefühl und Gewissen, wie man auch letzteres oft das Pflichtgefühl nennt. Da nun aber Gewissen und Gefühl bei den verschiedenen Völkern, bei verschiedenen Menschen zu verschiedenen Zeiten so ganz verschieden sind,* so zweifelte ich, zumal ich ohnehin schon längst Atheist bin, an ihrem göttlichen Ursprung, und leitete sie vielmehr aus der Erziehung und dem Umgang mit Menschen überhaupt ab. Mein Atheismus mag Dich nun allerdings frappieren. Aber

---

* Bei uns spricht das Gewissen gegen jede Rache; den Corsicanern gebietet es dieselbe. *Deinen* Verwandten wäre es gewiß höchst unangenehm, wenn Du für einen Monarchen Dein Leben aufgibst. Eine *deutsche* Mutter würde unter solchen Umständen jubeln und Gott danken. Dies als Beispiele für obige Behauptung.

2 »Nathan der Weise« I,3.

3 aus dem Gedicht »Die Worte des Glaubens«.

ich kann Dich versichern, daß erst treffende Gründe ihn mir aufgedrungen haben. Nun wieder zum Egoismus zurück! Du klagst schon über den Ausdruck, wie fade und nichtssagend er sei. Wenn ich Dir nun aber beweise, daß alle schönen, großen Thaten aus Egoismus entspringen, so fällt diese Klage weg. Denken wir uns nun eine Feuersbrunst, wo viele Menschen unter eigener Lebensgefahr ihre Mitmenschen retten. Gläubige Christen, die unter den Rettern sind, helfen in Aussicht auf einstige Belohnung im Himmelreich, denn: ›Selig sind die Barmherzigen, denn sie werden Barmherzigkeit erlangen‹. *(Egoismus)* Du sagst, es gäbe auch solche, die gar nicht nachdenken, sondern ›aus Instinkt‹ helfen. Abgesehen davon, daß ich an der Anwesenheit des Instinktes bei reiferen Menschen zweifle, ist eine That aus Instinkt dem Thäter doch in keiner Weise anzurechnen. Ich nehme nun aber an, daß die meisten der Retter aus wahrem Mitleid retten. Ist nun dieses Mitleid schwach, so magst Du es einfach Gefühl nennen, tritt es dagegen stark auf, so wird es dringender, es wird zum Pflichtgefühl, zum ›Gewissen‹. Immerhin ist dies Mitleid dem Retter noch in keiner Weise als lobens- oder tadelnswert anzurechnen. Es ist ein Leiden, das unwillkürlich im Menschen entsteht, sobald ihm ein fremdes Leiden kund wird. Weißt Du nun noch einen andern Grund, außer dem Mitleid, der die Retter zu der edlen Handlung bewegt? – Ich weiß keinen. Wenn aber der Mensch ein Leiden spürt, so ist sein erster Gedanke, dasselbe zu beseitigen, weil er sich selbst liebt. So beseitigen die Retter ihr Mitleid, denn es wüchse sonst mit jedem Augenblick. Ist das nicht Egoismus? – Was? – Aber, zu was wird hier der Egoismus? Zur Stütze der menschlichen Gesellschaft, zur Quelle aller schönen Thaten. Vielleicht bist Du von diesem Beweise überzeugt, vielleicht auch nicht. Ich hoffe das erstere. Immerhin wirst Du aber sagen, daß auf diese Weise jede Moral umgestoßen sei. Ich aber behaupte das Gegentheil:

Der Mensch kommt mit mancherlei Gaben auf die Welt. Schon bei kleinen Kindern bemerkt man, daß das Eine gerne, das Andere ungern gibt, daß das Eine barmherzig, das

andere gefühllos ist. Niemand macht den Kindern daraus einen Vorwurf oder ein Verdienst. Man sucht ihnen höchstens dies abzugewöhnen, jenes beizubringen. In vielen Fällen bleibt aber auch die Erfüllung dieser Pflicht aus und die Anlagen entwickeln sich ungestört. Bis jetzt sind die Kinder noch unverantwortlich. Bald treten sie aber als Glieder der Menschengesellschaft ins Leben hinaus und da heißt es gleich: Der ist gut, Jener schlecht; Der freigebig, Jener geizig. Die Schlechten und Geizigen werden zu Egoisten qualifiziert und der Haß und Fluch der Welt lastet auf ihnen. Fragen wir nun, welche glücklicher sind, die Gehaßten oder die Geliebten? Ich denke doch, die letzteren genießen ein schöneres Dasein. – Unwürdige Menschheit, wo bleibt Dein Verstand? Einen Blindgeborenen bemitleidest Du seines körperlichen Gebrechens wegen und den Geizhals verdammst Du wegen eines geistigen! Ist das Deine Barmherzigkeit, Deine Nächstenliebe? – Jene Unglücklichen scheltet Ihr Egoisten! – Seid Ihr besser als sie, Ihr Heiligen unter den Menschen? – Laßt Euch den Schafspelz ausklopfen, und überall kommen die gleichen, egoistischen Wölfe heraus!! Nun wage mir noch einer, einen Stein zu werfen auf seinen armen Bruder, der unvollkommener als er auf die Welt gekommen ist, ich will ihm heimzünden.
Alter, vergib mir meine schulmeisterliche Begeisterung, aber sie spricht für meine Überzeugung. Wenn Du fragst, wie ich auf diese Egoismustheorie gekommen sei, so lautet meine Antwort: Durch den Ausdruck ›Opferfreudigkeit‹. Ich weiß zwar, daß ich dadurch, daß ich den Auswurf der Menschheit in Schutz nehme, Deine idealen Vorstellungen von Mensch und Gott verletze, aber ich kann nicht anders.«

An »Tante« Jahn, eine reife Frau, zu der der Gymnasiast Wedekind ein leidenschaftliches Verhältnis unterhielt und mit der er Liebesgedichte austauschte (Nr. 20; 18. 12. 1884):

»In Lenzburg scheint wirklich sehr viel geklatscht zu werden. Daß Fritzi Kull die Schule verlassen mußte, thut mir sehr leid für ihn, denn er ist ein aufgeweckter kluger Kopf und kann gewiß unter Umständen auch fleißig sein, und daß er den Lenzburger Bezirksschullehrern gegenüber Lausbubereien verübt hat, kann ihm meine Sympathie noch nicht entziehen.«

An die Mutter Emilie Wedekind (Nr. 22; München, Dezember 1884):

»Das beste Weihnachtsgeschenk aber war doch die Geschichte mit dem Rector Keller und dem Schluffi.[4] Das freute uns beide unbändig und Walther O. ebenfalls, dem es Armin[5] vorlas. Ich gratulire von ganzem Herzen zu dem herrlichen Siege der Wahrheit und Deiner trefflichen Energie über die miserable Niedertracht dieses Jesuiten.«

An die Mutter (Nr. 29; München, Mai 1885):

»Und nun soll ich Dich also tadeln, weil Du von der Rectoratsgeschichte geschwatzt hast? Aber was denkst Du denn von mir, liebe Mama? Es hat mich selten etwas so gefreut, als dieser scharfe Streit zwischen den Schlichen des Jesuitismus und der Frömmelei und dem unerschrockenen Muth von Wahrheit und Gerechtigkeit, den Du so rühmlich ausgekämpft hast. [...] Ich selber bin ja, Du weißt es, durchaus kein Freund von Selbstüberhebung, aber dennoch glaube ich, daß die Rücksichtschinderei, die vielen leeren Phrasen und gegenseitigen Unwahrheiten, die man sich heutzutage auf Schritt und Tritt ins Gesicht sagen muß, nicht wenig daran schuld sind, daß alle Welt seine Naivität verloren hat und kein Mensch mehr im Stande ist, natürlich zu denken und zu empfinden.«

An den Vater Friedrich Wilhelm Wedekind (Nr. 40; München, 9. 1. 1886):

»Diese Woche besuchte mich Leopold Fröhlich von Brugg, der auf der Durchreise nach Berlin die hiesigen Kliniken

---

4 Dazu die Anmerkung Strichs: »Der Brief der Mutter ist leider nicht erhalten.«
5 Franks älterer Bruder.

besichtigen wollte. An einem freien Nachmittage begleitete ich ihn dann in die Irrenklinik, was mir umso interessanter war, da sich L. F. speciell mit Psychiatrie beschäftigte und mir vieles zu erklären wußte.«

An den Vater (Nr. 43; München, 27. 4. 1886):

»Von dem Unglück, was meinen Freund M. Dürr[6] betroffen, wirst Du wol auch gehört haben. Es ist das ein unendlich trauriges Geschick und doch nur die Unterbrechung eines beinah ebenso traurigen Lebenspfades. Er war eben bei aller Herzensgüte mit einem sehr unglücklichen Naturell begabt und dazu hatten ihm die zwei Jahre in Paris allen Idealismus und alle Liebe zu seinem Beruf genommen, der ja an und für sich schon ein halbes Märtyrerthum ist. Als er letzten Herbst hierher kam, nahm ich ihn in alter Freundschaft auf und führte ihn auch in meinen Bekanntenkreis ein. Aber schon bald nach Neujahr begann er mich, ich weiß nicht warum, zu meiden und wenn ich ihn aufsuchte, ging er mir aus dem Weg.«

An den älteren Bruder Armin, der Arzt war (Nr. 79; München, 5. 12. 1890):

»[...] über lauter Arbeit habe ich wieder vergessen, Dir zu schreiben. Wenn Du mir daher vielleicht eine größere Summe schicken wolltest, so würdest Du Dich und mich des ewigen Drängens entheben. Ich werde nun doch in nächster Zeit aufhören Geld zu brauchen. Mein Stück [die Komödie »Kinder und Narren (Die junge Welt)«] ist nahezu gedruckt. In den nächsten Tagen wird es erscheinen. Ich habe von maßgebenden Leuten, die es im Manuskript gelesen, darunter auch vom Oberregisseur Savits aus die günstigsten Urtheile darüber und indessen habe ich ein zweites Stück [»Frühlings Erwachen«] schon wieder zur Hälfte fertig.«

---

6 Wedekinds Schulfreund Moritz Dürr, der Maler geworden war, beging im Winter 1885 Selbstmord (vgl. Kutscher in diesem Kapitel).

An die Mutter (Nr. 80; München, 29. 12. 1890):

»Was im übrigen mein Thun und Treiben betrifft, so warte ich nun seit mehr als einem halben Jahr auf das Erscheinen meines Stückes [»Kinder und Narren (Die junge Welt)«], das sich in unverantwortlicher Weise verzögert hat. Mein einziger Trost dabei, ist, daß ich indessen schon bald wieder ein zweites fertig habe [»Frühlings Erwachen«], das dann so Gott will nicht so lange auf sich warten läßt.«

An Armin Wedekind (Nr. 82; München, 24. 5. 1891):

»Indessen habe ich ein zweites [Stück] ›Frühlings Erwachen‹ geschrieben, mit dem ich im Laufe des Juni in Vorträgen in verschiedenen öffentlichen Gesellschaften vor das Publicum treten werde.«

An Armin Wedekind (Nr. 83; 30. 7. 1891):

»Sodann kann ich Dir die Mittheilung machen, daß im Kunstverlag von E. Albert, dem Verleger der Böcklinschen Bilder, ein Roman von mir, illustrirt von Fr. Stuck erscheint.[7]«

An einen Kritiker (Nr. 85; Zürich, 5. 12. 1891):

»Sehr geehrter Herr
Gestatten Sie mir, Ihnen mit gleicher Post eine Arbeit ›Frühlingserwachen‹ vorzulegen, in der ich die Erscheinungen der Pubertät bei der heranwachsenden Jugend poetisch zu gestalten suchte, um denselben wenn möglich bei Erziehern Eltern und Lehrern zu einer humaneren rationelleren Beurtheilung zu verhelfen. Inwieweit es mir gelungen, den an sich düstern Stoff in ein erträgliches Licht zu stellen, entzieht sich meinem Ermessen. Ihrer hochgeschätzten Kritik wäre ich aufrichtig zu Dank verpflichtet, wenn sie sich dazu

---

7 Dazu merkt Strich an: »Ein solcher ist nicht erschienen. Dagegen erschien grade damals ›Frühlings Erwachen‹ mit dem Umschlagbild von Franz von Stuck, das ebenso wie das beigegebene, von der Juncker verfertige Porträt Wedekinds, in dem genannten Kunstverlag Albert hergestellt wurde. Es ist nicht ausgeschlossen, da Wedekind auffälligerweise ›Frühlings Erwachen‹ kein Personenverzeichnis beigab, daß er dieses Werk hier als Roman bezeichnet.«

verstände, meinen Intentionen und der Art und Weise sie zu
verfolgen ihre geehrte Aufmerksamkeit zu schenken.
Indem ich Sie nochmals ersuche, die Versicherung meiner
vorzüglichen Hochachtung zu genehmigen

Mit ergebenstem Gruß

Fr. Wedekind.«

An Armin Wedekind (Nr. 95; Paris, 8. 11. 1892):

»Außerdem erwarte ich auf Neujahr den Ertrag meines
Frühlings Erwachen, der wenigstens ein Tropfen, wenn auch
auf einen heißen Stein sein wird. Gegenwärtig wird es von
einer der ersten Pariser Schriftstellerinnen, Jean de Néthy,
einer Dame aus der höchsten Gesellschaft, ins französische
übersetzt.«

An die Mutter (Nr. 97; Paris, 7. 1. 1893):

»Von meinem Frl. Erw. erwarte ich dieser Tage den Jahres-
ertrag. Er wird nicht groß sein. Dafür hat es mir aber einen
Namen gemacht, und das werde ich dem Buch nie vergessen.
Eine Dame aus der hohen Pariser Gesellschaft hat mich um
die Autorisation gebeten, es übersetzen zu dürfen.[8] Wenn sie
es übersetzt, so erscheint es in elegantester Ausstattung beim
ersten Verleger von Paris.[9] Ich werde damit dann auch für
die französischen Verhältnisse eine Empfehlungskarte in der
Hand haben, mit Hilfe deren es mir leicht ist jede Bekannt-
schaft zu machen. Was meine gegenwärtige Arbeit betrifft,
so sehe ich mich in die Nothlage versetzt zu beweisen, daß
nicht ein blindes Schwein eine Eichel gefunden habe. Es gibt
zwar auch welche, die behaupten, ein Schwein habe eine
taube Eichel gefunden, aber ihre Stimme hat bis jetzt noch
öffentlich nicht laut zu werden vermocht. Du wirst es ermü-
dend finden, daß ich mich immer noch an diesen ersten Erfolg anklammere, daß ich immer noch darauf zurückkomme.
Aber es ist ja wie gesagt bis jetzt mein einziger, und beginnt

8 Vgl. Brief Nr. 95.
9 Strich bemerkt dazu, daß eine französische Übersetzung erst 1907 in Paris
erschien (vgl. auch Kutscher in diesem Kapitel).

mir jetzt, wo ich darüber hinauskommen muß, erst fatal zu
werden. [...]
In dem Venussaal[10] zur linken liegt in einer traumhaften
Landschaft hingestreckt das reizende, entzückend un-
schuldsvolle Mädchen – es ist von Palma vecchio[11] – das
Hänschen Rilow so verhängnisvoll geworden. Wenn Du ihr
mal wieder gegenüberstehst, so bitte ich Dich, sie von Hänschen Rilow und mir zu grüßen.«

An Armin Wedekind (Nr. 104; Paris, 31. 5. 1893):

»Vor einigen Tagen lernte ich hier meine Übersetzerin kennen, eine noch junge Dame aus dem höchsten Ungarischen
Adel, die Nichte des Grafen Auersberg.[12] Sie war bis vor
wenigen Wochen in Deutschland. Mein Buch wird hier in
der Revue des Revues und nachher als Buch erscheinen. Ich
freue mich insofern sehr darauf, als mir das den Aufenthalt
in Paris für die Zukunft unvergleichlich ergiebiger und ange-
nehmer machen wird.«

An den jüngeren Bruder Donald Lenzelin Wedekind
(Nr. 108; Paris, 4. 1. 1894):

»Darf ich Dich um einen großen Gefallen bitten, nämlich
darum, in meinem Auftrage zu Cäsar Schmidt[13] zu gehen
und Dich dringend bei ihm zu erkundigen, wie es mit der
zweiten Herausgabe meines Fr. Erwachens steht. Die lange
Verzögerung derselben ist für mich von denkbar größtem
Nachtheil, indem kein Mensch momentan weiß, wo das
Buch zu haben ist und soundsoviel Kritiker in Berlin nur auf
die zweite Auflage warten, um es zu besprechen.«

---

10 im Dresdner Zwinger.
11 Vgl. Anm. zu 31,33.
12 Dazu Strich: »Emmy de Nemethy. Sie übersetzte ›Frühlings Erwachen‹ ins
Französische.«
13 Dazu Strich: »Verleger in Zürich, in dessen Verlag ›Frühlings Erwachen‹
überging (Oktober 1893), nachdem es zuerst bei Jean Groß in Zürich erschienen war. Die zweite Auflage erschien 1894.« (Vgl. Kutscher in diesem Kapitel.)

An den norwegischen Dichter Bjoernstierne Bjoernson (1832–1910), Schwiegervater des »Simplicissimus«-Verlegers Albert Langen (Nr. 160; Festung Königstein, 28. 9. 1899):

»Als ich Ihnen dagegen im Sommer 1896 mein ›Frühlings Erwachen‹ zuschickte, hörte ich nicht eine Sylbe darüber und wußte nicht, daß Sie das Buch überhaupt erhalten hatten, bis mir zwei Jahre später in Zürich, nachdem ich meine Stellung am Münchner Schauspielhaus durch den Simplicissimus-Proceß[14] verloren hatte, Albert Langen und seine Frau unaufgefordert und gänzlich unvermittelt mittheilten, das Buch habe Ihnen sehr gefallen.«

An den Publizisten und Kritiker Maximilian Harden (1861–1927), Mitbegründer des Theatervereins »Freie Bühne« und Gründer der politischen Wochenschrift »Die Zukunft« (Nr. 273; Berlin, 16. 11. 1906):

»Morgen Vormittag 11 Uhr soll, wenn ich recht unterrichtet bin, Generalprobe von Fr. Erwachen stattfinden. Um wie viel Uhr, das werde ich Ihnen später noch mittheilen. Darf ich Sie nun ersuchen, Ihrem Versprechen gemäß zu kommen? Einiges ist zwar noch sehr unfertig, aber eben deshalb. Ihr Eindruck wird mir und ich glaube auch Reinhart[15] von großem Werth sein. Eine ganz entzückende Wendla[16] wird Sie für die geopferte Zeit vielleicht schon reichlich entschädigen.«

An Maximilian Harden (Nr. 274; Berlin, 30. 11. 1906):

»Ihr Urtheil, das Sie mir als Ergebnis Ihres Besuches der einen Probe auf der liebenswürdigen Karte schrieben, ent-

14 Wedekind wurde hierbei als Autor eines politischen Gedichts, das im »Simplicissimus« erschienen war, wegen Majestätsbeleidigung zu Festungshaft, die er auf der Festung Königstein verbüßte, verurteilt. Durch seine Flucht nach Zürich und dann nach Paris – erst später stellte er sich den Gerichten – hatte er seine Stelle als Dramaturg am Münchener Schauspielhaus verloren.
15 Der Theaterleiter Max Reinhardt (1873–1943) verhalf mit seiner Erstaufführung »Frühlings Erwachen« und damit dem Werk Wedekinds zum Durchbruch (vgl. Kap. V,1).
16 die Schauspielerin Camilla Eibenschütz.

sprach durchaus meinem Gefühl. Ich gab Ihre Zeilen sofort
an Reinhart weiter.«

An den Wiener Literaturkritiker und Autor Karl Kraus
(1874–1936), Herausgeber der Zeitschrift »Die Fackel«, der
sich energisch für Wedekinds Werk einsetzte (Nr. 275; Berlin, 23. 11. 1906):

»Frühlings Erwachen wurde schweigend hingenommen. Es
hat sich buchstäblich *nicht eine Hand gerührt.*[17]«

An die Mutter (Nr. 277; Berlin, 16. 12. 1906):

»Um 3 Uhr ist eine Erdgeistvorstellung für die Freie Volksbühne, die unter der Leitung von Karl Henckell und Bruno
Wille steht, und am Abend trete ich in Frühlings Erwachen
auf. Ich weiß, daß Du das Stück nicht liebst und behellige
Dich deshalb auch nicht mit Berichten darüber.[18]«

An den Münchener Schauspieler und Regisseur Fritz Basil
(eigtl. Friedrich Meyer, 1862–1938), bei dem Wedekind lange Schauspielunterricht nahm (Nr. 279; Berlin, 3. 1. 1907):

»Zuerst meinen Dank dafür, daß Du Frühlings Erwachen
auf der Bühne bringen willst. Ich habe eben das Personenverzeichnis an Ruederer geschickt und werde morgen für
Absendung des Soufflirbuches sorgen.
Darf ich nur auf etwas von vorn herein hinweisen. Ich wurde
hier in Berlin erst zur 10. Probe zugelassen und fand da eine
leibhaftige wirkliche Tragödie mit den höchsten dramatischen Tönen vor, in der der Humor gänzlich fehlte. Ich that
dann mein möglichstes, um den Humor zur Geltung zu
bringen,[19] ganz besonders in der Figur der Wendla, in allen
Scenen mit ihrer Mutter, auch in der letzten, das Intellektu-

---

17 Strich bemerkt dazu: »Die Aufführung fand in den Kammerspielen am
20. 11. 06 statt, die Stille am Schluß entsprach dem Gebrauch in den Kammerspielen. Der Eindruck war in Wahrheit groß und nachhaltig und führte zu einer
langen Reihe von Wiederholungen.«
18 Vgl. dazu den Bericht Tilly Wedekinds in diesem Kapitel.
19 Vgl. Wedekinds geplantes Vorwort zu »Oaha« und seine Bemerkungen in
»Was ich mir dabei dachte« in diesem Kapitel.

elle, das Spielerische zu heben und das Leidenschaftliche zu dämpfen, auch in der Schlußscene auf dem Kirchhof. Ich glaube, daß das Stück um so ergreifender wirkt, je harmloser, je sonniger, je lachender es gespielt wird. So vor allem der Monolog von Moritz, Schluß vom 2. Akt, den ich bis auf den Schluß durchaus lustig sprechen ließ. Ich glaube, daß das Stück, wenn die Tragik und Leidenschaftlichkeit betont wird, leicht *abstoßend* wirken kann.

Du verzeihst mir, lieber Freund, daß ich Dir diese Bemerkungen als Ergebnis der hiesigen Einstudierung mittheile. Ich bin sonst ganz sicher, Dich auf der Seite des Lustigen, Witzigen gegenüber dem Humorlosen zu wissen. Aber dann wären sicher Leute gekommen, die Dir vorgeworfen hätten, Du hättest mich mißverstanden.«

An Fritz Basil (Nr. 280; Berlin, 21. 1. 1907):

»[...] hier sind die ersten beiden Akte [von »Frühlings Erwachen«] in der Bühnenbearbeitung. Den dritten hoffe ich Dir morgen schicken zu können. Das Manuscript war vom Deutschen Theater nicht zu bekommen, da das Regiebuch erst hätte abgeschrieben werden müssen, was ebensoviel Zeit in Anspruch genommen hätte. Außerdem enthält das Reinhartsche Regiebuch manche Entstellungen, die durch ganz unberechenbare Censorenlaunen hineingekommen sind (z.B. die Änderung aller Professorennamen ins Blödsinnige) und die ich nicht gern hätte sich anderwärts fortpflanzen lassen.

Wie gerne wäre ich in München, um Dir bei der Arbeit zusehen und zuhören zu können. Daß Lili Marberg bei ihrem feinen Differenzirungsvermögen den richtigen Ton trifft, davon bin ich hagelbombensicher überzeugt. Wenn sie nur nicht zu groß aussieht.«

An Fritz Basil (Nr. 281; Berlin, 1. 2. 1907):

»Lieber Freund und vermummter Herr!
Das muß ja eine glänzende Aufführung gewesen sein![20]

20 von »Frühlings Erwachen«. Basil spielte den vermummten Herrn in München, den Wedekind bei Reinhardt in Berlin spielte.

Nach allgemeiner Beurtheilung. Selbst Gumppenberg[21] hat an der Darstellung nichts auszusetzen! Das Resultat freut mich vor allem als Entgelt für die ungeheure Mühe, die Dir die Einstudirung in so kurzer Zeit gemacht haben muß. – Vor allem aber freut es mich, daß Lili Marberg aus der Wendla eine Rolle gemacht hat, die sie offenbar ausgezeichnet kleidet. Willst Du Lili meinen aufrichtigen herzlichen Dank aussprechen. Dir selber, lieber Freund, aber danke ich dafür, daß Du meiner Arbeit zu einem so glänzenden Siege verholfen hast. Mit herzlichsten Grüßen

Der Berliner Vermummte Herr.«

An Tilly Wedekind[22] (Nr. 313; München, 28. 5. 1908):

»Frühlings Erwachen ist frei geworden, und zwar hauptsächlich durch Halbes[23] Befürwortung bei der Zensur.«

In einem 1909 niedergeschriebenen polemischen Aufsatz, der als Vorrede zu dem Drama »Oaha« gedacht war, kommt Wedekind auch auf »Frühlings Erwachen« zu sprechen:

»Und diese selbe Kritik hat die Stirne, mein Schauspiel ›Oaha‹ drei Wochen nachdem es als Buch erschienen, als ein gänzlich mißlungenes Werk hinzustellen! Woher weiß sie denn das? Hat sie vor zwanzig Jahren gewußt, was mein ›Frühlings Erwachen‹ war? Im Gegenteil, von dem unparteischen Humor, den ich in sämtlichen Szenen des Stückes, eine einzige ausgenommen, mit vollem Bewußtsein zu Wort kommen ließ, hat diese Kritik auch heute noch nicht die leiseste Ahnung. Diesen Mangel an Verständnis möchte ich den Herren indessen gar nicht so schwer anrechnen. Ein Lump tut mehr, als er kann. Was können sie für die grauenvolle Humorlosigkeit, die unsere naturalistische Schulfexerei

---

21 Hanns von Gumppenberg (1866–1928), Schriftsteller und Journalist, damals führender Theaterkritiker Münchens.
22 Wedekind hatte am 1. Mai 1906 die damals zwanzigjährige Schauspielerin Tilly (Mathilde) Newes geheiratet.
23 Max Halbe (1865–1944), naturalistischer Dramatiker, mit dem Wedekind von Zeit zu Zeit befreundet war, mit dem er sich aber immer wieder zerstritt.

als Erbe hinterlassen. In meinem Theater, sagte mir ein berühmter Berliner Theatermagnat, darf nur gelacht werden, wenn durch Gelächter auf der Bühne dem Publikum das Zeichen dafür gegeben wurde. Und der Humor, mit dem ich mein Frühlings Erwachen durchtränkte, hat bei meinem Publikum bis heute noch ebenso wenig Würdigung gefunden wie bei der Kritik. Zehn Jahre lang, von 1891 bis etwa 1901, wurde das Stück allgemein, die wenigen, die es zu schätzen wußten, ausgenommen, für eine unerhörte Unflätigkeit gehalten. Seit etwa 1901, vor allem seitdem Max Reinhardt es auf die Bühne brachte, hält man es nun für eine bitterböse, steinernste Tragödie, für ein Tendenzstück, für eine Streitschrift im Dienste der sexuellen Aufklärung und was der spießbürgerlich pedantischen Schlagworte mehr sind. Nimmt mich wunder, ob ich es noch erleben werde, daß man das Buch endlich für das nimmt, als was ich es vor zwanzig Jahren geschrieben habe, für ein sonniges Abbild des Lebens, in dem ich jeder einzelnen Szene an unbekümmertem Humor alles abzugewinnen suchte, was irgendwie daraus zu schöpfen war. Nur als Peripetie[24] des Dramas fügte ich des Kontrastes wegen eine allen Humors bare Szene ein: Herr und Frau Gabor im Streit um das Schicksal ihres Kindes. Hier, kann ich meinen, müsse der Spaß aufhören. Als Vorbild hatte mir dazu die Szene ›Trüber Tag, Feld‹ im I. Teil des ›Faust‹ gedient.«

GW 9. S. 447 f.

Unter dem Titel »Was ich mir dabei dachte« verfaßte Wedekind im Jahre 1911 kurze Kommentare zu seinen Werken. Zur Entstehung von »Frühlings Erwachen« schreibt er darin folgendes:

»Ich begann zu schreiben ohne irgendeinen Plan, mit der Absicht zu schreiben, was mir Vergnügen macht. Der Plan entstand nach der dritten Szene und setzte sich aus persönlichen Erlebnissen oder Erlebnissen meiner Schulkameraden

---

24 (griech.) Glückswechsel, unerwartet plötzliches Umschlagen im Schicksal des Helden.

zusammen. Fast jede Szene entspricht einem wirklichen
Vorgang. Sogar die Worte: ›Der Junge war nicht von mir‹,
die man mir als krasse Übertreibung vorgeworfen, fielen in
Wirklichkeit.
Während der Arbeit bildete ich mir etwas darauf ein, in
keiner Szene, sei sie noch so ernst, den Humor zu verlieren.
Bis zur Aufführung durch Reinhardt galt das Stück als reine
Pornographie. Jetzt hat man sich dazu aufgerafft, es als trok-
kenste Schulmeisterei anzuerkennen. Humor will noch im-
mer niemand darin sehen.
Es widerstrebte mir, das Stück, ohne Ausblick auf das Leben
der Erwachsenen, unter Schulkindern zu schließen. Deshalb
führte ich in der letzten Szene den Vermummten Herrn an.
Als Modell für den aus dem Grab gestiegenen Moritz Stiefel,
die Verkörperung des Todes, wählte ich die Philosophie
Nietzsches.«

GW 9. S. 424

Ein Stück Entstehungsgeschichte überliefert auch Tilly
Wedekind (1886–1970), die Witwe des Autors, in ihren
Memoiren:

»Nebenbei: Seine Mutter sagte von ›Frühlings Erwachen‹, ihr
wäre danach zumute gewesen, als sei ein Eisenbahnzug über
sie hinweggefahren, und sie konnte sich mit der ›Schande‹
daß es aufgeführt wurde, nie so recht abfinden. [...]
Eigentlich hat Frank, verärgert und angeregt durch Hauptmanns ›Friedensfest‹,[25] bald darauf ›Frühlings Erwachen‹ geschrieben, worin er nun selbst seine Eltern darstellte und
gleichfalls, wie vorher Hauptmann, tatsächlich stattgefun-
dene Gespräche verwendet hat.
Und das eben fand seine Mutter schrecklich.«

Tilly Wedekind: Lulu. Die Rolle meines Lebens
München: Rütten & Loening, 1969, S. 91, 94.

25 Gerhart Hauptmanns (1862–1946) Drama »Friedensfest« erschien 1890
Wedekind war verärgert darüber, weil er Hauptmann Vorkommnisse in seine
eigenen Familie anvertraut hatte, die dieser so wörtlich wie möglich in sein
Drama übernommen hatte.

Wedekinds Biograph Artur Kutscher (1878–1960) berichtet folgendes über die Entstehungs- und Druckgeschichte von »Frühlings Erwachen«:

»›Frühlingserwachen, eine Kindertragödie‹, erschien als nächstes Werk im Spätherbst 91 und zwar im Verlage von Jean Groß in Zürich. Schabelitz, der Verleger des Schnellmalers[26], hatte das Werk zurückgeschickt, weil ihm eine juristische Kapazität erklärte, daß man in Deutschland dafür mindestens zwei Jahre Gefängnis bekäme. Das Titelblatt – eine Frühlingslandschaft, knospende Bäume, Schwalben, eine tiefe Wiese mit üppigen Blumen, fern begrenzt von Hügeln – stammt von Franz Stuck[27]. Wedekind hat, wie der Maler erzählt, sich selber an ihn gewandt und auch die Idee gegeben, die Stuck in großen Zügen stilisierend ausführte und die damals zweifellos kühn und modern war. Beigegeben ist dem Druck die Reproduktion eines wenig ausgearbeiteten impressionistischen Ölbildes der Freundin Käthe Juncker, das Wedekind darstellt, sitzend auf einem Stuhle, die Linke im Schoß, die Rechte lässig mit einer Virginia in den Fingern auf der Lehne, in der äußeren Rocktasche eine Düte mit weiterem Virginiervorrat. Das seitlich weggewandte hagere Gesicht, dessen tiefliegende Augen von einem Zwicker bedeckt sind, zeigt einen mephistophelischen Ausdruck, welcher durch den buschigen Schnurrbart und langen Ziegenbart noch verstärkt wird. Unter dem Bilde befindet sich ein Faksimile seiner Handschrift, die ihn zum ersten Male ›Frank‹ Wedekind nennt, das Titelblatt selber schreibt ›Fr.‹ Wedekind.

Die Gesamtausgabe sagt, daß das Werk geschrieben ist vom Herbst 1890 bis Ostern 91. In Notizbüchern der Münchener Zeit sind Kindernamen aufgezeichnet, unter ihnen der der vierzehnjährigen Helene Ekdal aus Ibsens Wildente; auf derselben Seite findet sich die abgerissene Bemerkung ›... die

26 Wedekinds erstes Drama (1886).
27 Maler und Bronzeplastiker (1863–1928), der, von Böcklin ausgehend, Bilder meist allegorischer Art mit Aktdarstellungen und Fabelwesen malte.

männlichen sowohl wie die weiblichen stehen sämtlich im
Alter von beiläufig vierzehn Jahren. Der schmächtige Halm
ist emporgeschossen, die schwere saftstrotzende Knospe
droht ihn zu knicken, die Blätter haben sich noch nicht ent-
faltet, aber der Kelch steht geöffnet und gestattet ...‹ [...]
›Fast jede Szene entspricht einem wirklichen Vorgang‹, hat
Wedekind selber erklärt. Die Erlebnisgrundlagen, auf denen
das Werk steht, die Pubertätsleiden, die Weltanschauungs-
kämpfe und die Schule, sind eingehend im II. Kapitel behandelt, ich verweise besonders auf die dort zitierten Briefe.
Wahrscheinlich wurde der Selbstmord des Primaners Franz
Oberli im Juli 83 Kristallisationspunkt, während der Selbstmord Moritz Dürrs im Winter 85 höchstens die Wahl des
Vornamens beim Schüler Stiefel beeinflußt hat. Im übrigen
steht diese Figur dem Jugendfreunde Oskar Schibler näher.
Melchior Gabor trägt deutlich Züge des jungen Wedekind.
Von den dichterischen Niederschlägen der frühen Zeit kommen für ›Frühlingserwachen‹ zahlreiche Gedichte in Be-
tracht, unter anderem die Bänkelsängerballade ›Sancta Simplicitas‹ auf das Rektorat, ferner Stücke aus Erzählungen der
Studentenzeit, [...]. Mehr aber als alles dies ist die Versko-
mödie ›Elins Erweckung‹ ein Vorstadium der Kindertragödie zu nennen, und jedenfalls steht sie ihr künstlerisch näher
als das Lustspiel ›Kinder und Narren‹.*
Nun hat allerdings ›Frühlingserwachen‹ schon eine Geschichte, und zwar eine sehr bezeichnende. Der Verlag tat
zunächst gar nichts für das Buch, obgleich Wedekind – oder
wie der Kenner sagen wird – weil Wedekind die Auslagen
für den Druck selber bezahlt hatte. Wenig besser ging es
ihm, als im Oktober 93 Caesar Schmidt in Zürich (an der

---

* Im Biographischen liegen natürlich Parallelen zwischen Karl Rappart [dem
Helden von »Kinder und Narren«] und Melchior Gabor. Beider Anschauung
wird im Elternhaus als moralischer Irrsinn bezeichnet. Außerdem verweise ich
auf den Lyrismus beider Dichtungen. – In Notizbüchern findet sich gleichzeitig
mit Bruchstücken aus »Kinder und Narren« der Entwurf einer ganz kurzen
Liebesszene mit stark ausgeprägtem Naturgefühl, »Adalbert und Rosi«.

Umschlagtitel der Erstausgabe. Foto: Schiller-Nationalmuseum, Marbach am Neckar

damals auch der Verlag des alten Schabelitz überging) das Buch nahm, von welchem lange Zeit noch nicht einmal genügend Rezensionsexemplare mehr zur Verfügung stand. 1894 erschien endlich die zweite Auflage und erst 1903 kam die dritte heraus. Im umgekehrten Verhältnis zu dieser geringen Zahl und dem ihr entsprechenden finanziellen Ertrage stand aber der künstlerische Erfolg. Das Werk hat seinem Verfasser den Namen gemacht, und deshalb ließ er auch davon ab, [...] ein Skandälchen zum Zweck des Durchdringens zu inszenieren. [...]

Der Schriftsteller[28] Jean de Nethy bittet Wedekind im Oktober 92 auf Empfehlung Bierbaums[29] um das Recht der Übersetzung ins Französische, Ende 93 beginnt die ungarische Gräfin Emmy de Nemethy in Paris ihre Übersetzung und sucht nach einem Verlage dafür.* Tatsächlich wurde ›Frühlingserwachen‹ erst 1907 ins Französische übersetzt. Frau Tilly Wedekind erinnert sich, daß eine Dame beim Dichter in München um das Aufführungsrecht für ihr Pariser Theater nachsuchte, wo das Stück auch 1908-10 gespielt wurde. Einen englischen Übersetzer zu finden, bemühte Wedekind sich selbst; 1920 wurde es in London als eines der ersten deutschen Stücke nach dem Kriege gespielt. Seit 1913 gibt es auch eine russische Übersetzung. Knut Hamsun[30] schickte ein Exemplar der Dichtung mit den Artikeln von Brandes[31] einem gewandten dänischen Übersetzer. 1913 ist ›Frühlingserwachen‹ auch ins Japanische übertragen von Dr. Toyo Jechiro Nogami und mit Erklärungen, einigen Bildern und einem biographischen Nachworte gedruckt worden. Das Manuskript einer holländischen Übersetzung befindet sich

---

* Der Pariser Verleger Albert Langen war allzu sehr mit skandinavischen Dichtern beschäftigt, an deren Übersetzung auch die Nemethy arbeitete; er lehnte die französische Ausgabe ab.

28 Fehlschluß Kutschers, wohl aufgrund des männlichen Vornamens »Jean« Die Übersetzerin Emmy de Némethy publizierte unter dem Pseudonym »Jean de Néthy«. Vgl. Wedekinds Briefe Nr. 95, 97 und 104.

29 Otto Julius Bierbaum (1865-1910), Kritiker und Schriftsteller.

30 norwegischer Schriftsteller (1859-1952).

31 Georg Brandes (1842-1927), dänischer Zeitkritiker und Literarhistoriker.

im Nachlaß Wedekinds. Gespielt wird das Stück in Holland
seit längerer Zeit.
Nachdem Max Reinhardt fünfzehn Jahre nach dem Entstehen des Werkes am 20. November 1906 in den Kammerspielen als erster eine Aufführung gewagt und großen Erfolg
damit gehabt hatte, wuchs die Auflagezahl schnell; 1908 war
die zweiundzwanzigste nötig und heute ist die siebenund-
fünfzigste erreicht.«

Kutscher. Bd. 1. S. 234 f., 244 f., 254–256.

V. Dokumente zur Wirkungsgeschichte

1. »Frühlings Erwachen« auf der Bühne

Günter Seehaus (1931–2003) begründet die anfängliche »Scheu der deutschen Bühnen, dieses Werk zu spielen«, diskutiert die zensurbedingten Streichungen in der Reinhardt-Inszenierung von 1906 und beschreibt, wie sich das Werk danach auf den Bühnen durchzusetzen begann:

»Für die Scheu der deutschen Bühnen, dieses Werk zu spielen, sind drei Gründe maßgeblich:
Erstens schienen der Stoff und die Form seiner Behandlung unter den obwaltenden Zensurverhältnissen keine Möglichkeit einer Aufführung zu geben. Aus den gleichen Gründen war eine Ablehnung durch das Publikum zu erwarten.
Zweitens stellt die Besetzung des Stückes mit seiner großen Zahl jugendlicher Rollen Anforderungen, die ein normales Ensemble nicht erfüllen konnte.
Drittens waren die bühnentechnischen Probleme, die der häufige Ortswechsel der Handlung hervorruft, offenbar für eine Zeit unlösbar, in der die Erfordernisse der naturalistischen Moderne ebenso wie der von den Meiningern[1] durchgesetzte historische Aufführungsstil massiv gebaute Dekorationen allgemein in Übung gebracht hatten. Die Rücksichtnahme auf die Bühnenverhältnisse der Zeit, die das Theater zu allen Zeiten von seinen zeitgenössischen Dramatikern verlangt, zeigt ›Frühlings Erwachen‹ nicht – in auffälligem Gegensatz übrigens zu den meisten anderen Werken Wedekinds! Die bald nach der Jahrhundertwende erschlossenen Möglichkeiten der Stilbühne[2], die sich immer stärker durchsetzende Technik der Drehbühne erleichterten später

---

1 Schauspielensemble des Meininger Hoftheaters, das auf Gastspielreisen bekannt wurde. Die Klassikeraufführungen der Meininger zeichneten sich durch z.T. übertriebene ›Echtheit‹ in Kostüm und Dekoration aus.
2 Bühnenform, die nur einen dekorativen Rahmen für die Darstellung geben will (im Gegensatz zur ›Illusionsbühne‹).

die Aufführung der Dichtung, ohne jedoch das Problem völlig zu lösen. Noch in den zwanziger Jahren wehren sich Kritiker gegen die oft zu langwierigen, stimmungszerstörenden Umbaupausen. Daß das Werk mit der Vielzahl seiner Bilder diese Dekorationswechsel erzwingt, wird den übrigen Beweisen für Wedekinds dramaturgischen ›Dilettantismus‹ hinzugefügt. Es ist zudem erstaunlich, daß die weitere Kritik völlig übersieht, daß zahlreiche Werke der älteren Theaterliteratur die Zahl der Schauplätze von ›Frühlings Erwachen‹ erreichen und übertreffen. Wenn die Umbaupausen bei ›Hamlet‹, ›Faust‹, ›Wilhelm Tell‹ als weniger störend empfunden wurden, so wirft dies auch ein bezeichnendes Licht auf die Aufführungspraxis dieser oder anderer, den Spielplan ähnlich beherrschender Werke.

Diese drei Gründe sind auch dafür verantwortlich zu machen, daß der als ›Sensation‹ empfundene Erfolg der Uraufführung in den Berliner ›Kammerspielen‹ (20. Nov. 1906) sich nicht sogleich auf die Spielpläne der Provinz überträgt. Abgesehen von einer geschlossenen Aufführung von ›Frühlings Erwachen‹ durch den ›Neuen Verein‹ in München (28. Jan. 1907) – eine Wiederholung untersagt die Münchener Zensur [...] –, finden im Verlauf der Spielzeit Aufführungen des Werkes außerhalb Berlins nur anläßlich der Gastspielreisen statt, die das ›Deutsche Theater‹ im Februar 1907 nach Leipzig und Dresden und dann im Spätfrühjahr und Sommer 1907 mit dem Stück unternimmt [...]. Die Gastspiele haben starken Erfolg, obwohl sie ohne die Originaldekorationen durchgeführt werden müssen und in den meisten Fällen eine zweite Besetzung an die Stelle der Rollenträger der Uraufführung getreten ist. Auch im folgenden Sommer finden noch einige Gesamtgastspiele statt, auch gastieren Mitglieder des Deutschen Theaters in Nordhausen, Köln (Residenztheater) und Bad Ems [...].

Aber gerade durch diese Beschränkungen bei den Gastspielen wird die Bühnenfähigkeit von ›Frühlings Erwachen‹ endgültig erwiesen. Sie beweisen, daß seine Wirksamkeit nicht nur von den besonderen Gegebenheiten der Berliner Aufführung abhängig ist. Auf Grund dieser Erfahrung erst setzt sich das Stück nun binnen kurzer Zeit auf den deutschen Bühnen durch. [...]

In 20 Spielzeiten steht ›Frühlings Erwachen‹ auf dem Spielplan Berliner Bühnen, während 16 Spielzeiten in München, 15 in Hamburg, 12 in Wien und 6 in Prag; in Berlin und Hamburg mitunter sogar gleichzeitig in zwei Inszenierungen! Dieser Erfolg dürfte von keinem anderen seit 1900 uraufgeführten Drama in Deutschland erreicht worden sein; zumindest unter diesem Gesichtswinkel darf ›Frühlings Erwachen‹ bedenkenlos als das erfolgreichste, ja volkstümlichste neuere Drama deutscher Sprache bezeichnet werden.

Sein Premierenanteil weicht, verglichen mit den übrigen Werken Wedekinds, begreiflicherweise zu Beginn seiner Bühnenlaufbahn stärker von der Norm ab als später. Verständlich ist sein größerer Anteil, solange das Werk als Neuheit gelten darf; verständlich aber auch, daß sein Anteil im Jubiläumsjahr 1914 geringer ist: Die Schwierigkeiten der Inszenierung, die angedeutet wurden, lassen die meisten Bühnen ein einfacheres, risikoschwächeres Werk wählen, das den Zweck einer Ehrung des Dichters zu seinem 50. Geburtstag gleich gut zu erfüllen vermag. Als sich in der zweiten Kriegsspielzeit 1915/16 ein verstärktes Publikumsinteresse bemerkbar macht, nimmt es auch zahlenmäßig wieder seinen Platz in der Spitzengruppe ein.

Nach 1918 erlebt es erneut einen starken Aufschwung. Es zeigt sich deutlich, daß die nun beseitigten Zensurschwierigkeiten vordem doch mehr Aufführungen verhindert hatten als die kontrollierbaren Einzelbeispiele vermuten lassen; anders ist der ›Nachholbedarf‹ nicht zu erklären, der sich in den 61 neuen Inszenierungen der drei ersten Nachkriegsspielzeiten (mit zusammen 742 Vorstellungen) zeigt.

Der 10. Todestag des Dichters wird vor allem in Österreich mehrfach mit ›Frühlings Erwachen‹ begangen – im Norden findet es sich gar nicht –, doch bringt die Spielzeit 1929/30 ein deutliches Ansteigen der Premierenzahl, das in den folgenden Jahren zwar wieder einer Verringerung weicht, jedoch nicht in gleichem Grade, wie dies bei den anderen Dramen Wedekinds zu beobachten ist. Wahrscheinlich ist das Aufsehen, das Karlheinz Martins Inszenierung an der Berliner Volksbühne erregt, hierbei nicht ohne Einfluß.

Die ernsthaftesten Versuche einer Wiedergewinnung Wedekinds für das Theater in den Jahren nach 1945 bemühen sich gerade um ›Frühlings Erwachen‹ (das schon 1942 in Zürich einen beachtlichen Erfolg erzielte); nur der ›Kammersänger‹ wird zwischen 1945 und 1953 häufiger inszeniert als die Kindertragödie. Die Mehrzahl der Aufführungen darf als erfolgreich bezeichnet werden – insbesondere die Gründgens-Inszenierung (Düsseldorf 1948). Um so mehr verwundert es, daß seit der Premiere der ›Münchener Kammerspiele‹ (1950) keine größere und 1953 bis 60 überhaupt keine Bühne sich des Werkes mehr angenommen hat. Offenbar liegt hier eine Scheu vor, diese Themen im historisch gewordenen Milieu der neunziger Jahre auf der Bühne zu zeigen, die Furcht, der ›Teenager‹ von heute könnte sie in dieser Form nicht ernst nehmen.

[...] Die Streichungen der Berliner Bearbeitung betreffen vor allem die Gespräche der Jungen und Mädchen in I,2, I,3, II,1 und II,7. Ferner fallen einige Sätze weg oder sind geändert, die nur im Zusammenhang mit den gestrichenen Szenen verständlich wären, wie der Rilow-Satz in III,2. Unberührt von Änderungen bleiben I,1, I,4, II,2, II,5, II,6 und im wesentlichen der III. Akt.

Außerdem verfügt die Zensur noch, daß in III,1 das Wort ›Beischlaf‹ durch ›Fortpflanzung‹ ersetzt und in III,7 ›(Gott und Teufel sehen wir sich voreinander blamieren und hegen in uns das ... Bewußtsein, daß beide) betrunken sind‹ in ›... im Unrecht sind‹ und ›Abortivmittel‹ in ›Geheimmittel‹ geändert werden. Ferner verlangt sie die Verharmlosung der Lehrernamen in: (Rektor Sanftleben, Lindemann, Friedepohl, Schweighofer, Wunderhold, Morgenroth und Ehrsam).

Erstaunlich bleibt, daß der Name des Pastor Kahlbauch unbeanstandet bleibt!

Während so das Lehrerkollegium weniger phantastisch wirken soll – und also einer veristischen, mithin mißverstehen-
den Interpretation alle Möglichkeiten geöffnet werden –,
werden aus den Dialogen der Jugend eine Reihe konkreter
Gesprächsteile entfernt, die nach Thema und Form eine un-
gemein hellsichtige Beobachtungsgabe des Dichters offen-
baren und später in zahllosen psychologischen Schriften
durchweg als kennzeichnend für seelische Situationen der
Pubertätszeit bestätigt werden: Seinerzeit war die Wahrheit
dieser Gespräche offenbar nicht anerkannt. Damit verschwinden viele innere Motivierungen, während die Dramatik der Vorgänge – trotz der angestrebten Milderung des
Kontrastes der Welten der Jugend und der Älteren – im
wesentlichen unbehindert bleibt.
Der Grund für diese Maßnahmen ist selbstverständlich in
der Rücksichtnahme auf die moralischen Vorstellungen des
breiten Publikums zu finden. Es wird dies am deutlichsten in
der Beobachtung, daß die Einschränkungen weniger die
noch unbestimmt tastenden Gefühlsaussagen der Mädchen
betreffen als die konkreteren Gedankengänge der Knaben.
Durch den Fortfall der Funktionen der Rollen Hänschen
und Ernst sowie der Insassen der Korrektionsanstalt wird
leicht der Eindruck erweckt, es handele sich bei Moritz und
Melchior um Ausnahmen. Darunter muß notwendig die allgemeine Gültigkeit der Kindertragödie leiden. Die so häufige Annahme, ›Frühlings Erwachen‹ sei ganz oder doch
überwiegend ein Tendenzstück, wird dadurch verständli-
cher.«

> Seehaus: Frank Wedekind und das Theater. Mün-
> chen: Laokoon, 1964 (später: Verlag Rommerskir-
> chen Remagen). S. 299–302.

Klaus Völker (geb. 1938) charakterisiert die wichtigsten Inszenierungen von »Frühlings Erwachen« (bis 1965) folgendermaßen:

»Auf die Inszenierung Max Reinhardts von ›Frühlings Erwachen‹ konnte Wedekind während der Proben Einfluß

nehmen. Er legte Protest ein gegen die geplanten *Barrika-denbauten* Karl Walsers, der dann helle Prospekte malte mit Frühlingsmotiven, leicht schwüle Stimmungsbilder in der Art des Jugendstils und impressionistischer Landschaften, die großen Beifall fanden. Obwohl die Aufführung durch Walsers Bühnenbilder hauptsächlich stimmungsmäßigen Effekt machte, *(Als Hauptakteur spielte immer der Frühling)* gelang es Reinhardt, den Affront des Stückes nachdrücklich herauszuarbeiten. Aber er inszenierte die Anklage mit zu pedantischem Ernst, ohne Sinn für den grotesken Humor des Dichters.

Die Besetzung der Uraufführung: Wendla – Camilla Eibenschütz, Melchior – Bernhard v. Jacobi, Moritz – Alexander Moissi, Ilse – Gertrud Eysoldt, Frau Gabor – Hedwig Wangel, Vater Gabor – Albert Steinrück, Vermummter Herr – Frank Wedekind.

Wedekind spielte den vermummten Herrn mit einer ›Neigung nach dem Stadttheater-Intriganten‹. (Alfred Kerr in seiner Kritik der Uraufführung von 1906. Kerr, ein ausgesprochener Wedekind-Anhänger, äußert sich sogar noch relativ freundlich. Als vermummter Herr muß Wedekind wirklich sehr schlecht gewesen sein. Er hat diese Rolle auch nur selten gespielt.) Seine Kostümierung mit auffallender Maske und Zylinder führte in späteren Inszenierungen zu dem schwerwiegenden Mißverständnis, die Rolle satanisch aufzufassen. 1908 in Wien gab Wedekind den vermummten Herrn bereits viel nüchterner und ohne Theaterromantik.

Als ›bitterböse, steinernste Tragödie‹ inszenierte auch Leopold Jessner ›Frühlings Erwachen‹ 1907 in Hamburg. Die Friedhofsszene interpretierte er als Fiebertraum Melchiors. Ehe der tote Stiefel auftrat, ließ er einen Wolkenschleier fallen: ›Hinter dem Schleier geht das Gespräch Melchiors mit dem vermummten Herrn vor sich. Ist das Gespräch zu Ende, so gehen Moritz und der vermummte Herr nach links und rechts ab. Dann hebt sich der Schleier wieder und nun erst steht Melchior auf und folgt nach kurzem stummen Spiel dem Vermummten.‹ (Kritik von Carl Müller-Rastatt, zitiert bei Seehaus [»Frank Wedekind und das Theater«], S. 334). Jessner ließ entsprechend abdunkeln und nach Ende der Fiebervision die Bühne in helles Licht tauchen. Während seines Traums wälzte sich Melchior stöhnend am Boden, am Schluß ging er erlöst und ›erhobenen Hauptes‹ ins Leben.

Erst in den zwanziger Jahren fand man für das Stück einen weniger schwermütigen Stil. Die phantastische Vision, die bissige Satire, der groteske und bizarre Humor wurden nun entdeckt. Gründgens inszenierte die Kindertragödie 1926 in Hamburg leicht, als lockere Szenenfolge. Als Darsteller des Moritz allerdings war er zu sentimental und voll blasser Melancholie. Er spielte ›die Frühlingstragödie eines schon herbstlichen Menschen.‹ (Kritik von Otto Schabbel, zitiert bei Seehaus, S.327). Viktor de Kowa spielte den Melchior.

Die umstrittenste Interpretation des Stückes brachte die Inszenierung Karlheinz Martins in der Berliner Volksbühne 1929. Martin machte den Versuch, die Tendenz von ›Frühlings Erwachen‹ aus ihrer Zeitbezogenheit zu lösen und in die Gegenwart zu transponieren. Er aktualisierte den Stoff und bot ihn als aufregende Reportage an. Wo der Text Wedekinds seinen Absichten im Wege stand, wurde er geändert. Ort und Zeit der Handlung hatte Martin nach Berlin 1929 verlegt.

Seine Inszenierung war grell und laut, ohne Verständnis für den Realismus und damit auch die Schönheit der Wedekindschen Dichtung. Paul Wiegler schrieb: ›Die Schüler schreien beim Fußball und haben klingelnde Räder, die Mädchen, am Tore eines Sportplatzes, schwatzen über Bubikopf und Martha Bessel berlinert ‚ha 'ck'. Melchior spricht nicht über Weinlese und Galgensteg, er und Wendla treffen sich statt im Wald im Treppenhaus und er nennt ihre Träumereien ... Kinogeschichten. Frau Gabor raucht Zigaretten.‹ (zitiert bei Seehaus, S. 310). Weitere Änderungen: der Heuboden wurde zum Dachboden eines Berliner Mietshauses, das Lehrerkollegium war auf vier Rollen reduziert, darunter eine Lehrerin und ein mutiger junger Pädagoge. Die eigenwillige

*Frank Wedekind als Vermummter Herr in der Aufführung Wien
1908. Foto: Institut für Theaterwissenschaft der Universität Köln*

Interpretation Martins hatte allerdings Tempo und brachte
das Stück zu einer unmittelbaren, aufreizenden Wirkung.
Martin hatte außerordentlich gute Schauspieler zur Verfü-
gung und Caspar Neher schuf die Bühnenbilder. Neher pro-
jizierte Großstadt, es war ›die Unwirklichkeit eines Spuks:
Häuser mit ‚Persil‘, ‚Manoli‘, ‚Agfa‘, ‚Ford‘, aber Häuser,
die wie Phantome sind, bleich, mißfarben in einen kranken
Himmel ragen‹ (ebenfalls bei Wiegler).
Besetzung der Volksbühnenaufführung von 1929: Wendla –
Carola Neher, Melchior – Carl Ballhaus, Moritz – Peter
Lorre, Ilse – Lotte Lenja, Vermummter Herr – Walter
Franck.
In den ersten Jahren nach 1945 wurde ›Frühlings Erwachen‹
öfters aufgeführt, nach 1950 erschien es nur noch selten im
Spielplan. Gründgens inszenierte das Stück 1948 erneut in
Düsseldorf, jetzt auf leerer Bühne, ohne Kostüme und mit
nur wenigen Requisiten. Er sagte die einzelnen Szenen als
›Spielleiter‹ an und griff am Schluß als vermummter Herr
selbst in das Spiel ein. Eine wenig überzeugende Lösung aus
der Zeit, als man Wilders ›Unsere kleine Stadt‹ für das deut-
sche Theater entdeckte und diese Spielart ›epischen‹ Theaters
auch auf andere Stücke übertrug.
Eine radikalere Übersetzung in die Gegenwart leistet die
Inszenierung Peter Zadeks, die kürzlich [1965] in Bremen
Premiere hatte. Zadek mißt ›Frühlings Erwachen‹ an den
Erfordernissen modernen Theaters, er läßt von heute aus
spielen, bringt aber die Atmosphäre der Entstehungszeit des
Stückes als Zitat mit in die Aufführung ein. Die Laborato-
riumsatmosphäre, die durch das ästhetisch und technisch
raffinierte Bühnenbild von Wilfried Minks geschaffen wird,
erdrückt das Stück nicht, sondern hebt es um so deutlicher
ins Bewußtsein. Zadek interpretiert ›Frühlings Erwachen‹
ohne den Text umzubauen auf die Gegenwart hin, indem er
das Publikum zwingt, von heute aus auf das Stück einzuge-
hen. Der Zuschauerraum ist wie die Bühne während der
Vorstellung immer hell beleuchtet. Die Aktualisierung der
Kindertragödie wird gewährleistet allein durch die strenge

kalkulierte Darstellung der Form des Stückes. Der ›Inhalt‹ bedarf so keiner Aktualisierung.«

Völker: Frank Wedekind. Velber: Friedrich, 1965.
(Friedrichs Dramatiker des Welttheaters. Bd. 7.)
S. 63–65. (²1970 auch dtv. Bd. 6807.)

Ergänzend ist auf folgende erfolgreiche Inszenierungen der sechziger und siebziger Jahre hinzuweisen, die das erneute Interesse an dem Stück belegen:

1959/60 Schauspielhaus Bochum (Hans Schalla)
1961/62 Berliner Schiller-Theater, Werkstatt (Werner W. Malzacher)
Volkstheater Wien (Gustav Manker)
1963/64 Münchener Residenz-Theater (Gerd Brüdern)
1973/74 Berliner Ensemble (B. K. Tragelehn und Einar Schleef)
Städtische Bühnen Frankfurt a. M. (Peter Palitzsch)
1974/75 Württembergische Staatstheater Stuttgart (Alfred Kirchner)

Alfred Kerr (1867–1948) weist in seiner Rezension aus dem Jahre 1906 auf die Parallelen zum Goetheschen »Faust« hin:

I

Ich finde hier bei Wedekind, wie immer, Abersinniges und (wenn seine Leitung stockt) Dilettantisches. Daneben fast shakespearische Verknüpftheit mit dem deutschen Gretchendichter.

Gymnasiasten und vierzehnjährige Schulmädel erfahren, was jener Doktor Faust mit jenem Bürgerkind erfuhr. Was in allen Fällen derselbe Fall ist. Ein schwerer Hauch schwebt über dem Werk eines Leichtsinnigen, Torkelnden, Schludernden; ein Hauch, der die Grundmauer des Daseins anweht.

Faustulus und Gretelchen. Ja, es sind kleine Faustusse der Pubertät, die hier erobern und schuldig werden und dennoch schuldlos untergehn. Oder sich still beiseite bringen,

vor den Kopf gehaun von dem großen Rätsel des Geschlechtlichen. Oder quickvergnügt weiterleben, bis sie
achtzig Jahre sein werden.

II

Wundervoll, wie in die Mannesregungen dieser Buben das
Geistige verflochten ist; Fragen, die kein Achtziger mit bes-
serer Klugheit stellen kann. Bei Geschöpfen, denen die
Schularbeit, Mittelamerika, Ludwig der Fünfzehnte, der
deutsche Aufsatz zwischendurch immer peitschend im Rük-
ken sitzt.
Wundervoll: wie der Faustulus, der über sein Gretelchen auf
dem Heuschober herfällt, noch in diesem Augenblick, frei
von Berechnung, dem Mädel zuraunt: es gebe gar keine
Liebe, er wisse, daß alles doch Selbstsucht sei. »Ich liebe dich
so wenig, wie du mich liebst.« Die Vierzehnjährige erwidert
hierauf ... was die Gretelchen zu erwidern pflegen: »– –
Nicht! – – Nicht, Melchior!«

> Kerr: Frühlings Erwachen. In: A. K.: Die Welt im
> Drama. Hrsg. von Gerhard F. Hering. Köln/Ber-
> lin: Kiepenheuer & Witsch, 1964. S. 238 f.

Siegfried Jacobsohn (1881–1926) verteidigt in seiner Kritik
der Reinhardtschen Uraufführung Sprache und Form von
»Frühlings Erwachen«, aber auch die Streichungen der Zen-
surbehörde:

»Denn das ist die Besonderheit dieser grausamen Tragödie:
daß Kinder, ohne Verschulden ihrer Seele, ohne pathetische
Leidenschaften, ohne Herzenskonflikte, einzig durch ihr
Da-Sein, ihr Werden, ihre körperliche Entwicklung um
Glück und Leben kommen. Ehe sie das tiefe Geheimnis ge-
lichtet haben, auf welche Weise sie in diesen Strudel hinein-
geraten sind, hat sie der Strudel schon verschlungen.
Das ist die Idee von ›Frühlings Erwachen‹. Sie müßte am
leichtesten gerade dann zu entdecken sein, wenn sie den
künstlerischen Körper nicht gewonnen hätte, den man um
sie vermißt. Dieses Drama soll gewollt, aber nicht gekonnt.

geredet und nicht gestaltet sein. Da ist es immerhin merkwürdig, warum Wedekind nicht auch jene seine besondere
Idee so deutlich ausgesprochen hat, daß sie mehr als zwei
seiner Kritiker hätten nachsprechen können. Die Mehrzahl
hat die pädagogische Bedeutsamkeit der Arbeit ungebühr-
lich in den Vordergrund gerückt. Tatsächlich ist sie heute für
uns Nebensache. Gewiß beklagt Wedekind, daß sich auch
auf dem Gebiet der Sexualaufklärung Gesetz und Rechte wie
eine ewige Krankheit forterben. Wenn er Frau Bergmann
vor ihrer Wendla stöhnen läßt: ›Ich habe an Dir nicht anders
getan, als meine liebe gute Mutter an mir getan hat‹, so sagt
er damit den Eltern: Gehet hin und tuet nicht desgleichen!
Aber er sagt es ganz unauffällig, er predigt es nicht. Er gestaltet, gestaltet so sicher und mühelos, wie er niemals wieder gestaltet hat.

[...] so wenig vermag ich an der Form zu zweifeln, in die
Melchi und Moritz ihre Hochgespräche kleiden, oder gar an
dem Inhalt dieser Gespräche. Diejenigen Kritiker, die heftig
beschworen, in ihrer Jugend anders gedacht und anders gesprochen zu haben, durften ihren Eifer sparen: wer auch nur
eine ihrer Kritiken gelesen hat, glaubts ihnen ohne Schwur.
Melchi und Moritz sind ja Ausnahmeschüler. Melchi ist der
erste, Moritz der letzte in der Klasse; beide sind also etwa
gleichbegabt. Worüber sie sprechen, ist genau das, was den
selbständigen Köpfen ihres Alters zum Problem wird. Wie
sie sprechen, macht so sehr die Musik dieses Werkes aus, daß
ich kein Wort anders wünschte. Himmelhoch jauchzend, zu
Tode betrübt. Es ist der Ton unsrer Sturm-und-Drang-Dra-
matiker und ihrer britischen Vorbilder, Christopher Mar-
lowes und des jungen Shakespeare. Es ist ihr Ton, und es ist
ihre Technik. Ein Chaos von schnellen Szenen, die scheinbar
auseinanderflattern und doch mit zielsicherer Schlagkraft
vorwärts drängen. Bis zum Schluß des zweiten Akts keine,
die nicht dem Ganzen diente, nicht der Katastrophe zu-
triebe. Wer die Vielheit und Knappheit dieser Szenen rügt,
hätte vermutlich auch den jungen Goethe hart angelassen:
Trüber Tag. Feld‹ wäre ihm als Unding, die folgende Szene

von sechs Zeilen als Verbrechen erschienen. Der innere Zusammenhang entscheidet, und der ist hier lückenlos gewahrt.
Nicht genug: es gibt gar keine Technik, die der Darstellung
jener Zeit des Vibrierens und Träumens, des Aufschreckens
und Erzitterns, des Knospens und Aufspringens besser
taugte als diese. Ein allgemeingültiges tragisches Weltbild hat
seinen spezifischen dramatischen Ausdruck gefunden.
Das ist die Größe von ›Frühlings Erwachen‹. Daneben werden die Schwächen gering. Lästig bleiben sie trotzdem. Auf
der Bühne traten sie so klar hervor, daß sie für die Aufführung noch jetzt beseitigt werden sollten. Diese Aufführung
wurde fast ohne ein Zeichen des Beifalls hingenommen. Ich
kann mich täuschen, aber ich hatte das deutliche Gefühl, daß
man den Beifall während der ersten beiden Akte aus Ergrif-
fenheit, während des letzten Aktes aus Gleichgültigkeit zu-
rückhielt. Hier nämlich wird unser Interesse durch ein
Übermaß von Motivierung abgestumpft, unser Stilgefühl
durch einen Mangel an Stilgefühl verletzt. [...]
Unsere Zensur, die meist geschmäht, manchmal über Gebühr
geschmäht wird, hat diesmal zwiefach künstlerisch gehandelt, negativ und positiv: indem sie dieses Drama nicht verbot, und indem sie drei Szenen herausstrich, die sonst hof-
fentlich Reinhardt selber gestrichen hätte. In Wedekind
steckt, neben allem andern, ein Pedant. Der Pedant in ihm
hat den Vollständigkeitstrieb, wie nur ein eingeschworener
Naturalist. Es genügt ihm nicht, die Blüten des Frühlings zu
malen, wo doch der Frühling auch Unkraut hervortreibt. Er
zeigt also, wie schon in den Kindern auch die Abarten der
Geschlechtsliebe keimen und wuchern: Sadismus und Masochismus; Masturbation; Päderastie[3]. Er zeigt es delikat und
künstlerisch; aber die drei Szenen könnten immerhin emp-
findliche Gemüter doch verstören. Darum war es gut, daß
sie wegblieben. Wären nur auch die beiden Szenen (im Konferenzzimmer und am Grabe) weggeblieben, in denen der
dichterische Wille entweder zu realistischer Gestaltung ge-

---

3 (griech.) Knabenliebe, Homosexualität.

haßter Menschen oder zu karikaturistischer Verzerrung verachteter Kreaturen nicht klar und nicht schöpferisch wird. Wäre wenigstens die zweite weggeblieben, die wiederholt, also abstumpft, statt zu verschärfen. Gab man sie dennoch, so mußte wenigstens ein Stil gefunden werden, der sie erträglich machte. Das ist leider versäumt worden. [...]
Glücklicherweise ist nicht die satirische Posse des Alters das Zentrum der Dichtung, sondern die lyrische Tragödie der Jugend. Ihr blieb man wenig schuldig. Für ihre dramatische Schwungkraft sorgte das Tempo, das in jeder Szene eingehalten wurde und in der Folge der Szenen, dank der Drehbühne, eingehalten werden konnte. Ihre Poesie ging einmal von den Walserschen Bildern aus, auf denen der sonnigste Frühling lag, vor allem aber von dem Talent und der Jugend einer Anzahl verschiedenartiger Schauspieler, von denen die einen das Talent, andre die Jugend und die dritten beides hatten. So entbehrlich für das Drama die Professoren in dieser Häufung und in dieser Bösartigkeit sind, so unentbehrlich sind die paar Eltern in ihrer schädlichen Kurzsichtigkeit und Korrektheit. Da war es erfreulich, daß wenigstens ein Vater, von Herrn Steinrück, und eine Mutter, von Fräulein Kurz, zum Greifen lebendig gemacht wurden. Zwischen Eltern und Kinder tritt das lockende Leben, das erste Mal tänzelnd in einer virtuosen Mädchengestalt der Eysoldt, das zweite Mal vermummt in der unheimlichen Männergestalt Frank Wedekinds, der ganz den Ton, aber gar nicht den Wortlaut seiner Rolle hatte. Melchi Gabor ergibt sich dem Leben, Moritz Stiefel hält ihm stand und wählt den Tod. Dieser Unterschied durfte nicht verwischt werden und wurde verwischt. Herrn von Jacobis Melchi war zwar jung, aber seinem Naturell nach durchaus fähig, gleichfalls das Los seines Freundes Moritz zu erleiden, das Grab mit seiner Freundin Wendla zu teilen. Diese beiden, Moritz und Wendla, waren und sind die schauspielerische Schönheit der Vorstellung. Das brauchte lediglich artistisch gemeint zu sein und könnte seinen hohen Wert haben. Man genießt denn auch dankbar die unendliche Feinheit, mit der Fräulein

Camilla Eibenschütz jedem Wort und jeder Situation, sei sie heiter, sei sie ernst, zu ihrem Recht hilft; den verschwenderischen Reichtum von Charakterzügen und Stimmmodulationen, die Alexander Moissi für seinen Moritz zu Gebote stehen. Was aber über alle Kunst, liegt in dem menschlichen Wesen der beiden beschlossen: in ihrem Blick, in ihrem Gang, in diesen scheuen, herben, keuschen, sehnsüchtigen Bewegungen schicksalgezeichneter Menschenkinder. Wendla nachtwandelnd im Garten und krank im Bett, Moritz kurz vor dem Tode und in seinem Grab – in dieser Darstellung bedürfte es eigentlich nur dieser vier Szenen, um die Tragik von ›Frühlings Erwachen‹ völlig zu erschöpfen.«

Jacobsohn: Max Reinhardt. Berlin: Erich Reiß,
1910. S. 35–40.

Paul Goldmann (1865–1935) kommt in einer polemischen Besprechung derselben Inszenierung zu einem genau entgegengesetzten Urteil über die Form des Dramas:

»Aus einer solchen Anzahl unzusammenhängender Szenen setzt sich Frank Wedekinds Kindertragödie ›Frühlings Erwachen‹ zusammen. Vor zehn, fünfzehn Jahren, ehe noch die ›neue Richtung‹ ihre Segnungen verbreitete, hätte jeder Theaterleiter die Zumutung, uns solches Werk zur Aufführung zu bringen, mit Hohngelächter zurückgewiesen. Man kann sich nichts Bühnenunmöglicheres denken. Das Stück besteht aus neunzehn Szenen, von denen jede auf einem besonderen Schauplatz sich abspielt. Nicht einmal die einzelnen Szenen sind dramatisch gebaut. Zumeist sind sie nichts als Gespräche. Die erste Szene dauert etwa drei Minuten. Das dramatische Ereignis, das sie bringt, ist, daß die Tochter der Mutter sagt, sie möchte lange Kleider tragen. In der zweiten Szene sieht man zwei Jungen im Grase liegen und sich über ihre ersten erotischen Empfindungen unterhalten. In der dritten Szene reden drei kleine Mädchen viele kleine Unanständigkeiten. In der vierten Szene kann man einen echt Wedekindschen Aktschluß bewundern. Nachdem die Schulbuben sich unterhalten haben, treten zwei Lehrer auf.

Der eine sagt: ›Mir unbegreiflich, verehrter Herr Kollega, wie sich der beste meiner Schüler gerade zum allerschlechtesten so hingezogen fühlen kann.‹ Der zweite erwidert: ›Mir auch, verehrter Herr Kollega.‹ Nach diesen Worten von zündender dramatischer Wirkung fällt der Vorhang. – [...]

›Frühlings Erwachen‹ ist also als dramatisches Werk völlig unzureichend. Das Stück genügt nicht einmal primitiven dramatischen Anforderungen. Dasselbe gilt freilich auch von den meisten anderen dramatischen Werken Frank Wedekinds. Es ist nun eine der seltsamsten Verirrungen der literarischen Kreise, daß sie als bedeutende Dramatiker einen Autor verehren, der niemals noch ein wirkliches Drama zustande gebracht hat, [...].

So stellt sich, im Spiegel von Frank Wedekinds Dichterseele gesehen, das Erwachen des Menschenfrühlings dar. Er wollte schildern, wie die heranwachsende Jugend die ersten Regungen der großen Naturkraft empfindet – und herausgekommen ist eine Vorführung aller nur erdenklichen Jugendsünden, eine dramatisierte Psychopathia sexualis des Kindesalters. Für Frank Wedekind ist Frühlings Erwachen nichts als Buhlschaft, Selbstbefleckung, Knabenliebe, Sadismus, – für ihn ist Frühlings Erwachen das Erwachen des Kindes zur Perversität. Und das ist nun der Inhalt eines Werkes, dessen Poesie bewundert, ja dessen Keuschheit sogar gerühmt wird! Durfte das Stück schon seiner dramatischen Unmöglichkeit wegen nicht aufgeführt werden, so mußte es tausendmal mehr noch seines Inhaltes wegen von der Bühne ausgeschlossen bleiben. Ist das Publikum so eingeschüchtert durch den Terrorismus einer dreisten und lärmenden Clique, daß es sich widerspruchslos eine solche Aufführung bieten läßt? Oder ist wirklich – was man doch kaum glauben kann – durch den modernen Theatertrieb der Geschmack so in die Irre geleitet, das Gefühl so abgestumpft, daß niemand empfindet, wie abstoßend diese fortwährenden Perversitätsschauspiele sind, – daß niemand empfindet, wie über alle Maßen widerwärtig, wie peinlich, wie unerträglich es ist,

wenn auf der Bühne nun gar perverse Kinder zur Schau
gestellt werden?

Frank Wedekinds Darstellung ist nicht nur abstoßend, sie ist
auch unwahr. Gewiß, die Kinder können nicht lediglich als
die goldigen Englein betrachtet werden, als die sie in den
Weihnachtsbüchern erscheinen. Gewiß, die Kinder tragen
als werdende Menschen in sich bereits die Keime von allem,
was nun einmal in der menschlichen Natur sich findet, auch
die Keime von Ausschweifung und Perversität. Nur ist die
Perversität, die doch glücklicherweise bei den Erwachsenen
nicht die Regel bildet (was man allerdings bezweifeln
könnte, wenn man seine Menschenkenntnis lediglich aus gewissen modernen Stücken bezöge), eine Ausnahme, eine
Abnormität auch bei den Kindern. [...]

Die Ideen, die Wedekind in seinem Stücke vertritt, verdienen
Billigung. Nur sind es nicht seine eigenen Ideen. Daß die
Eltern ihre Kinder selbst in die Geheimnisse des menschlichen Werdens einweihen sollen, ist eine alte Forderung frei-
denkender Pädagogen. Wedekind hat zu ihrer Begründung
nicht ein neues Wort, nicht einen originellen Gedanken bei-
getragen. Was er darüber zu sagen weiß, ist flach und unbe-
deutend.

Freilich soll ja die Begründung, die er sich zur Aufgabe gemacht hat, vor allem aus den Vorgängen des Dramas sich
ergeben. Er meint die Notwendigkeit der Aufklärung der
Kinder durch die Eltern nachzuweisen, indem er zeigt, wie
Wendla, die von ihrer Mutter im Glauben an den Storch
aufgezogen wird, sich von Melchior auf dem Heuboden verführen läßt. In Wirklichkeit beweist er damit gar nichts.
Denn Wendla erscheint in dem Wedekindschen Stücke als
ein so durch und durch verdorbenes Frauenzimmerchen,
daß man unbedingt annehmen muß, sie wäre, auch wenn sie
von ihrer Mutter die volle Wahrheit erfahren hätte, dem
Melchior auf dem Heuboden nachgeklettert. Das liegt so in
ihrem Wesen als Wedekindsche ›Frauengestalt‹. Und wenn
Frank Wedekind daher für die Perversität des kleinen Mädchens den Klapperstorch verantwortlich macht, so begeht er

damit ein Unrecht, gegen das dieser ehrenwerte Vogel nicht nachdrücklich genug in Schutz genommen werden kann.«

Goldmann: »Frühlings Erwachen.« Von Frank Wedekind. In: P. G.: Vom Rückgang der deutschen Bühne. Polemische Aufsätze über Berliner Theater-Aufführungen. Frankfurt a. M.: Rütten & Loening, 1908, S. 113–115, 117f., 122f.

Wie Siegfried Jacobsohn stellt auch Gertrud Prellwitz (1869–1942) in ihrer Kritik der Reinhardt-Inszenierung von 1906 die ›gereinigte‹ Bühnenfassung von »Frühlings Erwachen« über die Buchfassung. Da sie die »poetischen Elemente« des Dramas lobt, lehnt sie die karikaturistischen Lehrerszenen und die Schlußszene ab:

»Das Stück hat eine satirische Spitze. Der Schulzwang wird gegeißelt, der, dem Lebendigen abgewandt, mit totem, dürrem, gelehrtem Kram junge Menschen in der Zeit ihrer stärksten Lebenswandlung so überlastet, daß die Entwicklung eine ungesunde werden muß; daß eine wertvolle Natur um Parallelepipedon und die Verba auf μι verzweiflungsvoll und höhnisch in den Tod geht. Zugleich soll die sittliche Unsicherheit der Lehrer und auch der häuslichen Erzieher getroffen werden, die nicht den Mut und die innere Freiheit haben, den jungen Menschen, die die Wandlung sich erleben, in freien offenen Worten vom Natürlichen zu reden und dadurch die plötzlich und erschreckend erwachenden neuen Gefühle zu ordnen und zu klären, sondern den jungen Menschen sich selbst überlassen oder gar irreführen, sodaß selbst in gesunden Naturen schwere und verhängnisvolle Krisen eintreten.
Der Gedanke ist gut. Die künstlerische Gestaltung ist in den verschiedenen Teilen des Stücks verschiedenwertig. In diesem Erstlingswerk Frank Wedekinds spürt man noch, was in seinen späteren Werken verloren geht: daß er ein Dichter ist. Es gibt Stellen von wahrer Poesie darin. Dennoch erkennt man schon hier die Grenzen seiner Begabung. Er empfindet des Lebens Akkordwirkungen und sie werden ihm zu poeti-

schen Momenten. Und er sieht Probleme. Um aus jenen
poetischen Momenten ein geschlossenes Kunstwerk zu
schaffen, um seine Probleme in künstlerische Gestaltung
umzusetzen, dazu fehlt ihm die Kraft der Zusammenfassung,
jene strenge innere Zucht, ohne die kein Kunstwerk entsteht, am wenigsten ein Drama, ohne die aber auch nicht ein
Gedanke rein und klar durchgeführt werden kann.

Wo die Gestaltung nicht ausreicht, ersetzt Wedekind sie
durch Karikatur; wo die Poesie versagt, ersetzt er sie durch
Perversität.

Was die Bühne uns bot, war, dank der glänzenden Regie-
kunst Reinhardts, wertvoller, als was das Buch bietet. Das
perverse Element war fast ganz ausgelöscht. Das Poetische
trat dadurch in den Vordergrund, wurde, unterstützt durch
Ausstattung und Aufführung, zum Teil sehr stark wirksam.
Es war etwas von Frühlings-Gewitterschwüle in dem Stück,
eine zitternde, schwere Ahnungsstimmung, bei der man
wirklich etwas von Frühling und dem Erschauern aufbre-
chender Knospen, von dem heimlichen Werdeleben der
Wälder, durch die die erste weckende Frühlingsluft geht, zu
spüren meinte. Die drei Hauptgestalten waren vortrefflich
herausgearbeitet und traten uns menschlich nahe. Ihr Geschick wurde glaubhaft und erschütterte uns: der Schwache
verzweifelt und tötet sich selbst; den Gesunden wachsen die
halb verstandenen Triebe über den Kopf und bringen sie zu
Fall. Dadurch, daß neben den beiden gesunden Naturen,
einem frischen, klugen und guten Knaben und Mädchen die
Erzieher, die alles versäumen und verderben, zwei sehr gut-
gewillte, treubesorgte Mütter sind, die eine sogar über dem
Durchschnitt feinsinnig und verständnisvoll, doch eben zu
diesem Problem nie erwacht, kommt in diese Szenen etwas
Edles, das den künstlerischen Wert außerordentlich erhöht.
Sie waren denn auch von der Regie ganz in den Vordergrund
gestellt. Im einzelnen ist wohl auch hier alles verzeichnet. So
empfinden nicht Kinder! So empfinden große Leute, die sich
zurückerinnern und die das Problem erkannt haben, jenes
Alter und seine Gefahren. Aber dennoch ist es Poesie, und

die Satire wirkt gradlinig und stark. Denn die Verhältnisse der Personen, ihrer Anschauungs- und Empfindungsweisen, sind richtig zu einander gestellt und erzeugen eine zwar übertriebene, aber in sich richtige Kontrastwirkung dessen, was gebräuchlich ist und was natürlich wäre. Dann aber kommen die Lehrerszenen, und die sind nichts als eine wüste Karikatur, übertrieben bis zum Läppischen, und sie verderben die Wirkung völlig. Man war ergriffen worden, man erlebte alles mit, man wartete bang und gespannt auf die Lösung in des jungen Helden Gemüt und Geschick, und plötzlich sah man sich einer Hanswurstiade gegenüber! man lachte, man ärgerte sich, man empfand, daß alles ja nur erdichtet, und schließlich doch schlecht erdichtet sei, und wenn der junge Held auf der Bühne erscheint und die Szene nun wieder sehr ergreifend werden müßte, ist unsere Illusion völlig dahin und kommt nicht wieder. Auch die Schlußszene mit ihrer wunderlichen, halb aus sorgloser Genialität, halb aus Unfähigkeit, eine andere Lösung zu finden, gewagten Auseinanderfaltung des Bewußtseins des Helden in objektive Gestalten, die gespensterhaft vor ihn hintreten, – der Verzweiflungsgedanke des Knaben, der dem Korrektionshause entsprungen und hungernd auf dem Kirchhof irrt, daß er sich auch wie sein Kamerad das Leben nehmen wolle, und die gesunde nüchterne Reaktion gegen diese Verzweiflung aus der Lebensenergie seiner Natur heraus sind in Gestalten neben ihn gestellt, als das Gespenst des toten Freundes und als unerkannte, vermummte Gestalt, die ihn ins Leben zurückführt – auch diese Schlußszene vermag die erste Illusion nicht wieder heraufzuführen, vermöchte auch wenn jene Illusion noch bestände, eine befreiende Schlußwirkung nicht zu geben, dazu ist sie nicht kräftig genug. So verläuft sich denn die Wirkung im Sande.«

Prellwitz: Theater-Korrespondenz. In: Preußische Jahrbücher 127 (1907) S. 173–175.

Mit der Frage der gattungsmäßigen Zuordnung von »Frühlings Erwachen« beschäftigt sich schon Hermann Kienzls (1865–1928) Besprechung der Reinhardt-Inszenierung von 1906:

»Dämonen! Die Dämonen des Frühlings hat Wedekind gerufen.
Der unheimliche Rattenfänger. Das Räsonnieren überläßt Wedekind uns andern, die wir zu seinem Spiel den Brummbaß geigen. Er bläst seine Pfeife. Das wunderlichste Instrument. Jetzt klingt es orphisch. Die Schleier fallen vom Geheimsten. Das Zarteste dringt uns zu Sinnen. Wir verstehen die Sprache der Nachtigall, von der die Dichter allerlei munkelten, wir verstehen die wehesten Gedanken des Kindes, die kein Kindermund verrät. Jetzt quietscht es zum Totlachen – just vor kleinen Särgen. Tragikomödie? Das Tragische, so rein und heilig angefaßt, wird komisch, weil die Menschen so niederträchtig sind, daß es komisch scheint, Menschliches tragisch zu nehmen; das Komische wird tragisch, weil es so unendlich traurig ist, wie komisch die Menschen sind. Tragi-Ironie? Echteste Tragik, die zur Ironie führt. In Wedekinds Wesen vollzieht sich der Prozeß. Es nützt nichts, darüber zu klagen, daß er nicht anders ist; daß der einheitliche ästhetische Ausklang ermangelt. Aber eben das: daß er ist, wie er ist, daß er sich nicht anders zeigt, das gibt ihm spezifisches Gewicht. Denn er darf er selbst sein. Was bei jedem andern stilisiert wäre, ist hier unverkennbare Eigenart. Andere dramatische Dichtungen Wedekinds mochten den, der ›Frühlings Erwachen‹ nicht kannte, zweifeln lassen. Auch ich gehörte zu denen, die nichts wußten. Die Kindertragödie ist Zeuge auch für die andern Wedekinder. Denn in der Kindertragödie schuf ein einzelner, ein Andersgearteter, ein Neulandfinder seine absolute Wesensprägung. Wedekind – nur mutig herausgesagt! – Wedekind ist ein Genie. Mit aller blinden, ärgerlichen Rücksichtslosigkeit des Genies. [...]
Dieses Lied der Menschheit trägt der Dichter nicht im hohen, geschlossenen Stil vor. Er bläst die Rattenfängerpfeife.

Immer wieder freilich hören sich die Töne wie das Brausen einer Riesenorgel. Dann wie das Geräusch des Hackbretts, das die Melodie zerfetzt. Das ist Wedekinds Art. Die dramatische Form liegt in Trümmern. Alle Stile raufen miteinander; und doch gibt auch das eine Art Stil: den bunten des Lebens, das geheimer Einheit nicht enträt. Handlungen und Szenen in wirrer Folge. Aber alle fließen zusammen in den Frühlingsstrom.

Wer hätte Sturm und Drang, wenn nicht der wilde Frühling?! Wedekind war jung, als er das Drama schrieb – ganz ›Stürmer und Dränger‹. Es ist kein Zufall und noch weniger die Absicht des späten Epigonen, daß ›Frühlings Erwachen‹ mit seinen halbhundert Aktschlüssen und Verwandlungen und in der epigrammatischen Zerrissenheit den genialen Ausgeburten der Lenz und Klinger ähnlich sieht.

Daß solch ein dramatischer Tausendfüßler über eine Bühne gehen würde, hat auch der Dichter gewiß nicht für möglich gehalten, und daß der Bühne nichts mehr unmöglich ist, ist ihr Triumph. Max Reinhardt macht urbar. Kaum ein anderes Theater, als das der ›Kammerspiele‹, konnte das Experiment wagen (zu seinen besonderen Einrichtungen gehört das besondere Publikum). Folgen andere nach, so wagen sie nichts mehr. Nur wer den Pfad bahnt, dem droht Gestrüpp. Es blieb nicht Experiment, es wurde Eindruck und Tat. Der Maler gab stilisierten Naturalismus. Ein wenig weniger Stil, und die schöne Natur seiner beglänzten Wirklichkeiten hätte vollends gesiegt. Die Schauspieler ließen sich von einem jungen stürmenden Rhythmus tragen. Der Dirigent hatte ihn auch denen eingeflößt, deren Naturell widerstrebte. So gut sich derlei eben mitteilen läßt. (Beispiel: Bernhard von Jacobi, der sich zum Melchior verjüngte, aber nicht der junge Melchior war.) Moissis (des Moriz) todtrauernder Jugendwahn war suggestiv. Camilla Eibenschütz' Wendla verlor nur im Traurigen der letzten Szene das Immakulatum[4], das diese Frühmutter bis zum Tode wahren soll. Das Burleske (die Schulkonferenz ist schon hart an der Grenze ...) wurde

4 (lat.) Unbeflecktheit, Unschuld.

leider verulkt; seriös vorgetragen, wäre es satanisch gewesen.
Das Ganze war ein wunderliches Wunder.«

Kienzl: Die Bühne ein Echo der Zeit. (1905–1907.)
Berlin: Concordia Deutsche Verlags-Anstalt,
[1907]. S. 287, 290f.

Karl Scheffler (1869–1951) stellt in seiner Rezension aus
dem Jahre 1907 die Realität seiner Zeit der Tragödie Wedekinds gegenüber:

»Betrachtet die allerneusten Wahrheiten des vermummten
Herrn, der mit entsprungenen Korrektionszöglingen und
faulenden Gerippen, im Zeitalter der aufgewärmten Bieder-
meiermode, wie ein aufgewärmter E. T. A. Hoffmann redet.
Das Drama soll typische, unlösliche Konflikte des Lebens
schildern; so dachten bisher alle Einsichtigen. Es soll der
Zeit, aber auch der Menschheit einen Spiegel vorhalten.
Giebt es die Ausnahme, so wird es zur dramatisirten Novelle. Selbst aber wenn das Novellistische zur Tragoedie gemacht wird, liegt die Aufgabe des Dichters darin, im Besonderen das Allgemeingiltige zu zeigen. Hält nun der vermummte Herr mit dem Napoleonprofil die Kindertragoedie,
zum Beispiel, die er den Esoterikern[5] geschrieben hat, für
den Ausdruck einer allgemeingiltigen Wahrheit? Offenbar;
denn er scheint ehrlich entsetzt und des Lebens ganzer Jammer faßt ihn nicht weniger exemplarisch an als damals, wo er
noch mit schüchterner Widerspruchslust die Frauengewän-
der der seligen Marlitt[6] trug. Indem er eine ganze Jugendwelt
verächtlich negirt, mit Feldherrngeberden auf den Ozean des
großen, des wahren Lebens hinausweist und so einen Dualismus erschafft, der doch nur in seinem Hirn hausen kann,
will er glauben machen, es sei normal, daß Gymnasiasten
sich totschießen, wenn sie nicht versetzt werden, und daß sie
erotische Fragen mit priesterlicher Andacht besprechen; daß

5 (griech.) (in eine Geheimlehre) Eingeweihte.
6 Deckname der Schriftstellerin Eugenie John (1825–87), Autorin populärer
Unterhaltungsromane, die zuerst in der Zeitschrift »Die Gartenlaube« erschienen.

fünfzehnjährige Bürgerstöchter den Primanern ohne Arg auf den Heuboden nachsteigen und daß dann prompt die Befruchtung erfolgt; daß Vater und Mutter über ihren Sohn, der eben Vater werden soll, reden, als hätten sie sich vor acht Tagen kennen gelernt, Gymnasiallehrer sich wie eine Heerde blökender Irrsinniger betragen und ein Dirnchen mit poetischer Sentimentalität einem Toten Blumen aufs Grab streut. Es kommt freilich vor, daß Gymnasiasten sich totschießen; alle Jugend spielt in gewissen Jahren gern sogar mit dem Dolch. Du aber, hochverehrtes gebildetes Publikum, hast das Gymnasium doch auch mit frisch-fromm-frei-fröhlichem Gemüth absolvirt und bist trotzdem vollzählig auf dem Platz. Dir sind auch nicht gleich Kinder gelungen, selbst wenn sich so bald ein Gretchen fand. Es fand sich aber nur für Mondscheinpromenaden; und der Primaner war zufrieden damit. Die Praxis lernte er bei irgend einem Dirnchen, nachdem er sich mühsam zehn Mark erspart hatte. Immer war er der Verführte. Er schrieb niemals tiefsinnige Abhandlungen über die Geschlechtsbeziehungen, sondern schloß sich mit zwölf Jahren schon zu sinnfälligerem Thun mit seinen Kameraden (meist war ein ›Großer‹ dabei) irgendwo ein. Er kolportirte in aller Harmlosigkeit die ekelhaftesten erotischen Witze; das Geschlechtsmysterium war ihm der beliebteste Gegenstand des Gelächters und er feierte daneben Phantasieorgien im Sinn des jungen Rousseau. Aber tragisch wurde seine Erotik niemals. Das ganze Pubertätgeplänkel war vergessen, wenn es zum Fußballspiel ging; das Rad galt mehr als das Mädchen, das Baden im Fluß schien verführerischer als ein Rendezvous und für ein Galeriebillet war jede Liebesfreude feil. Die starke Welle der Gesundheit und Hoffnung schwemmt in der normalen Jugend alle Mucken der erwachenden Geschlechtsinstinkte fort; das Dummejungen-Lachen der Flegeljahre befreit radikal Alle, die nicht pathologisch entartet sind.

Und die ehrbaren Damen im Parquet verfallen auch plötzlich der ganz modernen Schwäche, das allgemein Menschliche zu ›entdecken‹, als hätte in den vergangenen Jahrtausenden noch Niemand darüber gedacht. Erschüttert nehmen sie sich vor, ihre Töchter rechtzeitig aufzuklären über die Tragik des Empfangens und Gebärens. Woher haben denn sie ihre Wissenschaft? Sie haben als junge Mädchen ihre Kränzchen und Klubs gehabt und dort unter Kichern flüsternd von Dingen gesprochen, womit kein Apotheker handelt. Was konnte die Mutter ihnen am Hochzeitstag (im letzten Augenblick) sagen, das sie nicht längst schon wußten? Unsere Urgroßeltern sind schon von ihren Lehrern und Pastoren wegen ihrer ›Unzucht‹ bestraft worden und sind doch tüchtige Kerle geworden. Und wenn ein Junge zu dumm zum Abiturium war, wurde er von je her zum Postassistenten, Kaufmann oder Bureauschreiber gemacht.«

Scheffler: Der vermummte Herr. In: Die Zukunft
58 (1907) S. 404 f.

Seinen eigenen Bemerkungen zu »Frühlings Erwachen« in seinem Selbstkommentar »Was ich mir dabei dachte« (s. Kap. IV) fügt Wedekind folgende »Vorbemerkung zur Bühnenbearbeitung« hinzu, die die Urteilsbegründung des preußischen Oberverwaltungsgerichts vom 29. 2. 1912, das sich für eine Aufhebung des Aufführungsverbots entschieden hatte, enthält:

»›Die Post‹ (Berlin) vom 5. Juli 1912 schreibt:
Frank Wedekind und das Oberverwaltungsgericht. Im letzten ›Preußischen Verwaltungsblatt‹ wird die Entscheidung des Oberverwaltungsgerichts abgedruckt, die am 29. Februar d. J. in der Klage wegen eines Aufführungsverbotes von Wedekinds ›Frühlingserwachen‹ gefällt wurde. Das vom Regierungspräsidenten erlassene Verbot wurde *aufgehoben*, weil gegenüber dem *ernsten Inhalt* und der *ernsten Wirkung* des ganzen Stückes die anstößigen Stellen weit zurücktreten ›und somit die Grenzen des im polizeilichen Sinne Zulässigen nicht überschreiten‹. Nicht nur das verständnisvolle Urteil des Oberverwaltungsgerichts überrascht, sondern auch die sachliche Begründung der Entscheidung, in der der Inhalt des viel angefeindeten Stückes erzählt wird. Der jetzt

allgemein eintretende Umschlag zugunsten des Dichters muß vermerkt werden, da er auf ein besseres Verständnis für Wedekinds schonungslos um Wahrheit ringendes Schaffen hindeutet. Wir geben das Urteil, die *amtliche Darstellung des Inhaltes,* nachstehend wieder:

›Der Inhalt des Stückes läßt sich dahin zusammenfassen: es wird dargestellt, wie auf junge, in dem Alter der beginnenden Geschlechtsreife stehende naive Personen die realen Mächte des Daseins einwirken; vornehmlich ihr eigener, erwachender Geschlechtssinn und die Anforderungen des Lebens, insbesondere der Schule. Sie erliegen in dem sich entwickelnden Kampfe vor allem deshalb, weil ihre berufenen Leiter, die Eltern und Lehrer nach der Auffassung des Dichters in weltfremdem Unverstand und aus Prüderie es unterlassen, sie zu belehren und ihnen verständnisvoll helfend die Wege zu weisen. Wendla Bergmann geht unter, weil trotz ihrer Bitte die Mutter es unterläßt, sie über die menschlichen Geschlechtsverhältnisse aufzuklären. Moritz Stiefel, in Verwirrung gebracht durch die Regung seiner beginnenden Pubertät, durch seine Zweifel über Entstehung und Zweck der Menschen und nicht zuletzt durch die sexuellen Belehrungen seines Freundes, wird erdrückt durch die Aufgaben der Schule, die er nicht erfüllen kann, deren Erfüllung aber der nur hierauf gerichtete strenge Sinn seines Vaters von ihm fordert. Melchior Gabor geht nur deshalb nicht zugrunde, weil Verständnis für das, in einer Personifikation, als vermummter Herr auftretende reale Leben gewinnt und sich von diesem mitziehen läßt. So aufgefaßt, läßt sich dem Stück im ganzen nach seiner Tendenz und seinem Inhalt der Charakter eines ernsten Stückes nicht absprechen; es behandelt ernste, vielfach im Vordergrunde des Interesses stehende Erziehungsprobleme und sucht zu diesen Stellung zu nehmen. Es ist nicht erkennbar, daß da, wo sittenwidrige Handlungen dargestellt werden, dies geschieht, um sie als etwas Erlaubtes oder Nachahmenswertes hinzustellen, oder gar um die Lüsternheit der Zuschauer anzuregen oder zu befriedigen. Das Theaterpublikum wird sich dem rein menschlichen Mitge-

fühl für das tragische Geschick der Hauptpersonen und dem
Interesse für den Gang der Handlung und die darin behan-
delten Probleme nicht entziehen können. Jedenfalls ist nicht
abzusehen, inwiefern die Zuhörer daraus eine Anregung zu
eigenem sitten- oder polizeiwidrigen Verhalten empfangen
sollten.‹«

GW 9. S. 424–426.

Anita Block (1882–1967) berichtet folgendes von den Umständen und der Aufnahme der New Yorker Premiere von
1917:

»Thus in America, during those prewar years, a progressive
minority, pitifully small in number, who were interested in
modern European drama, had read ›The Awakening of
Spring‹; but it was not until 1917, when the war had already
loosened the world from its old moorings, actual and con-
ceptual, that an attempt was made to give the play an American production. To theatregoers of today, accepting as a
matter of course O'Neill's great plays on sexual themes, as
well as lesser works, the fact that an ordinary, public production of ›The Awakening of Spring‹ was unthinkable in
New York in 1917 will sound incredible. Today it seems
fantastic that in order to prevent interference by the police, a
highly elaborate machinery for a performance was evolved
by a private group whose sole interest in presenting the play
was its educational value in the field of sexual enlightenment.
Thus ›The Awakening of Spring‹ was presented under the
auspices of ›The Medical Review of Reviews‹, a progressive
medical magazine which further organized as sponsors a
›committee‹ of representative citizens prominent in various
branches of education and finally a formidable array of ›co-
workers‹ selected from widely varied activities and interests.
And last but not least the sale of tickets was by subscription
only, so that every holder of a ticket became a subscriber to
the enterprise. Thus swathed and protected against the on-
slaughts of American ›morality‹, one of the great dramatic
masterpieces received its first production in English on this

side of the Atlantic. And even then the Commissioner of Licenses refused a theatre for the play, on the ground that its performance would be ›contrary to public welfare‹, and not until a court injunction against his stopping the performance was obtained, did the delayed matinee curtain rise at half-past three o'clock.

How urgently needed here was the play's liberating influence may be judged from the press reviews, as well as from an incident, unforgettable to me as one of the production's ardent ›co-workers‹, that occurred during the performance. In the course of the play there arose from her seat another ›co-worker‹, a woman, well-known not only as an author's representative and theatrical producer, but also as a leader in one of America's major political parties. Outraged she proceeded up the aisle, proclaiming in loud tones: ›I've had enough! I didn't know I'd been asked to sponsor a *dirty show*!‹ Nor did the play reviewers, by courtesy called critics, with one or two notable exceptions, acquit themselves any more worthily than had their London confrères twenty-five years before on the production of Ibsen's ›Ghosts‹. In one New York newspaper appeared the headline ›All Childhood Shamed‹, with the play described as ›this nasty and prurient product of Kultur‹. Elsewhere the play was referred to, in the flippant smartness already then the curse of American drama criticism, as ›spring offensive‹; and the reader was told that the drama is ›of no great interest or consequence, which saves us the trouble of telling why one girl was ruined, one boy committed suicide and another was arrested‹. But the highest point of American theatre ›criticism‹ in 1917 was reached by the gentleman who informed his reading public that in one scene of ›The Awakening of Spring‹ a mother in literal terms explains to her young daughter the ›facts of nature‹ and that ›in a later episode the children take advantage of their newly-gained information‹.

Against such vicious ignorance and abysmal stupidity on the part of newspaper reviewers even the gods still continue to cry out in vain; and it was through these channels of the

press that the American theatre-going public received its first
knowledge of Wedekind.«

Block: The Changing World in Plays and Theatre.
Boston: Little, Brown & Company, 1939. S. 42–44.

Die »Rote Fahne«, das »Zentralorgan der Kommunistischen
Partei Deutschlands«, kritisierte Karlheinz Martins Berliner
Inszenierung von 1929 als Mißverständnis Wedekinds:

»Frank Wedekind, dessen einst im bürgerlichen Lager heftig
umkämpftes und von der Zensur verfolgtes Drama ›Frühlings Erwachen‹ in der Inszenierung von Karlheinz Martin in
der Volksbühne eine sozial verbogene, wenn auch nicht un-
zeitgemäße Urständ feiert, gehört zu den wenigen deutschen
Dichtern, die es gewagt haben, der herrschenden Klasse ihre
Verlogenheit und abgrundtiefe Heuchelei offen ins Gesicht
zu schleudern, wofür man ihm Zeit seines Lebens mit er-
bittertem Haß und dummbrutalen Zensurschikanen quit-
tierte.
Anders als sein Zeitgenosse Gerhart Hauptmann, auf dessen
Jugenddramen die mächtig aufstrebende deutsche Arbeiterbewegung einen blutig-roten Widerschein warf, der aber
längst unter den Lorbeeren vermodert, die ihm das einst von
ihm an den Pranger gestellte Bürgertum um die Stirn windet,
ist Wedekind seinem Haß gegen die herrschende Klasse immer treu geblieben.
In ›Frühlings Erwachen‹ brandmarkt er mit bitterem Hohn
das verlogene Muckertum, die heuchlerische ›Moral‹ des
kleinbürgerlichen ›Juste-Milieus‹[7]. Dieses Pubertätsdrama
mit seiner vernichtenden Anklage gegen spießerische Roheit,
Gedankenlosigkeit, moralische und ideologische Verkom-
menheit ist heute noch so aktuell wie vor nahezu 40 Jahren.
[...]
Wedekinds Drama wurzelt völlig in der Sphäre des Klein-
bürgertums. Nur aus ihr ist verständlich die Problemstellung

7 (frz.) ›die rechte Mitte‹; urspr. (nach 1830) Schlagwort für die den Ausgleich
suchende, kompromißbereite Politik von König Louis Philippe von Frankreich.

und die Lösung bei Wedekind. Die soziale Bedingtheit seiner Pubertätstragödie ist dem Dichter dabei jedoch ein Buch mit sieben Siegeln geblieben.

Der Regisseur Karlheinz Martin hat den anzuerkennenden Versuch gemacht, Wedekinds Drama ins Moderne zu übertragen, aus der muffigen Kleinstadtromantik in die harte proletarische Großstadtwirklichkeit zu verlegen. Dabei ist er aber einem heillosen Mißverständnis zum Opfer gefallen. Er hat nicht begriffen, daß Wedekinds Drama an das kleinbürgerliche Milieu gebunden ist und nur im Rahmen dieses Milieus Inhalt und Sinn hat.

Wedekinds Problemstellung ist grundverschieden von der Problemstellung der Arbeiterschaft, und Wedekinds Rezept: sexuelle Aufklärung, das er mit Recht dem spießigen Muckertum entgegenschleudert, verwandelt sich in lächerlichen Hohn in einem Milieu, wo Personen jeglichen Alters und Geschlechts in engen, dumpfen Kammern zusammengepfercht dahinzuvegetieren verurteilt sind.

An diesem Mißverständnis mußte Martins Versuch scheitern trotz anerkennenswerter Leistungen von Regie, Bühnenausstattung und Schauspielern. P. B.[8]«

Wedekind: »Frühlings Erwachen« (Volksbühne).
In: Die Rote Fahne 12 (16. 10. 1929) Nr. 206. Beil.

Unter der Überschrift »Regisseure über ihre Inszenierungen« berichtet Rudolf Köppler in der Bühnenfachzeitschrift »Die Scene« über eine Inszenierung aus dem Jahre 1930:

»»Frühlings-Erwachen‹. – Rud. Köppler am Landestheater Rudolstadt.

a) Dramaturgische Fassung.

Der *Text* folgte der zweiten von Wedekind selbst eingerichteten Ausgabe des Werkes unter Tilgung der Scene ›Wendla im Garten‹. Die Briefscene der Frau Gabor wurde textlich zum Teil in die Todesscene Moritz Stiefels verlegt: ehe Mo-

---

8 Möglicherweise verbirgt sich hinter diesen Initialen einer der damaligen Redakteure und Theaterrezensenten der »Roten Fahne«, Paul Brand (eigtl. Emanuel Bruck) oder Paul Braun.

ritz den Brief verbrennt, liest er noch einmal Teile daraus. Einmal wird dadurch sein Selbstmord stärker als Handlung des verwirrten Bewußtseins erscheinen, wenn die eindringlichen Worte der Frau Gabor ihn auch nicht mehr abhalten können, den verderblichen Schritt zu tun, und dann wird der Scenenverlauf des zweiten Teils des Stückes, der mit der Selbstmordscene Moritz beginnt, nicht unterbrochen durch ein retardierendes Moment, (das die Briefscene darstellen würde) sondern jedes Bild im zweiten Teil zeigt einen Teil der Katastrophe der ganzen Tragödie der Jugend. Der Eindruck ist dadurch wesentlich erhöht.

b) Scenische Einrichtung.

Die so gewonnenen 14 Bilder waren auf eine Basis zu bringen, die einmal den notwendigen geschlossenen Ablauf mancher Scenenfolgen nicht unterbrach, also die Klang- und Themenfolge musikalisch betrachtet weiterführte, zum anderen aber auch unter notwendigstem Beibehalt charakteristischer Requisiten im Decorativen die Eindringlichkeit der optischen Anschauung nicht erschwerte. Naturalistische Darstellung wich einem realistischen Ton, der das Einzelgeschehen symbolisiert und zum Typus werden läßt. Kleinliche Deutlichkeit könnte heute den Charakter des Werkes umbiegen. Die zur Zeit der Entstehung des Stückes durchaus notwendige anklägerische Note in der Darstellung löst jetzt größtmögliche Einfachheit ab, da sich die schauspielerischen Anschauungen über derartige Figuren genau so geändert haben wie sich der Gesichtswinkel der Betrachtung durch den Zuschauer verschoben hat. Es wurde versucht, eine gewisse symbolische Stellung der Personen zueinander im Verlauf der einzelnen Scenen wie in Rücksicht auf den ganzen Ablauf des Stückes durchzuführen. Alle Bilder in ihrer skizzenhaften Knappheit tauchen in eine beengte Atmosphäre – (als Lichtquelle dafür wurden Tiefstrahler verwandt, deren Leuchtkegel man beliebig erweitern kann) –. [...] Die Verwandlungen dauerten kaum eine Minute.«

Köppler: Frühlings-Erwachen. In: Die Scene 20 (1930) S. 121.

Die Bühnenzeitschrift »Theater heute« berichtet folgendes über Peter Zadeks (geb. 1926) Bremer Inszenierung von 1965:

»Peter Zadeks Inszenierung nimmt die Herausforderung der leergeräumten, hell beleuchteten Bühne an. Wedekinds Text, ein dreiviertel Jahrhundert alt, bewährt sich glorios. Die Prüderien, Konventionalitäten, grotesken Verkalkungen der Erwachsenen erscheinen, wie sie schon Wedekind erschienen: beschränkt und in der Beschränkung lächerlich. Obwohl Zadek auch den Eltern, Lehrern, den ›Erziehern‹ realistische Grundierung gibt. Die Paukerkonferenz steigert sich im Verlauf der Szene erst ins Groteske, der Höhepunkt der komischen Wirkung ist erreicht, wenn am Schluß (eine Hinzufügung Zadeks) die Lehrer Melchior Gabors Verweisung von der Anstalt unterschreiben und ihre Namen akzentuieren: Sonnenstich, Zungenschlag, Affenschmalz. Jeder von ihnen hat seinen eigenen Sprach- und Bewegungstick. Aus winzigen Chargen sind scharfgeschnittene Menschenzerrbilder geworden.

Schwer hat es auch diese Aufführung mit der Frau Gabor, die zwischen den Welten, der der Kinder und der der Erwachsenen, steht, die zu vermitteln sucht. Zudem hat Wedekind ihr eine Briefschreibeszene gegeben, einen Monologersatz. Zadek und die Darstellerin der Rolle (Margret Jahnen) suchen ihr beizukommen, indem die Wahl des Papiers, das Abstreifen der Stahlfeder, ja der wackelnde Schreibtisch als realistische Stütze eingebaut werden. Die Szene zwischen Herrn und Frau Gabor (nach Moritz Stiefels Selbstmord) ist sehr geschickt an die Friedhofsszene angehängt, sie dient so nur dem Fortgang der Fabel, es wird nicht eine isolierte Ehegeschichte in der Kindertragödie etabliert.

Auf die Kinder ist alles konzentriert. Ihre Welt wird dargestellt. Auch hier (was ich so konsequent in anderen Aufführungen des Werkes noch nicht gesehen habe) besticht die realistische Grundierung: Jugendalberei, Katzbalgereien, ein ganzer Klumpen von Jungen um ein altes Fahrrad gedrängt.

Die drei Mädchen kichern hemmungslos in sich hinein,
wenn Melchior Gabor vorübergeht. Selbst auf dem Friedhof,
am offenen Grabe Moritzens, dalbert die Klasse und löckt
lausebengelhaft gegen die Schuldisziplin. Die altklugen Reden von Melchior (Vadim Glowna) und Moritz (Bruno
Ganz) haben so einen Fond, der sie davor bewahrt, nur
papieren zu erscheinen. Melchiors Labilität wird dargestellt,
indem er immer wieder im Gespräch mit dem besonneneren
Freund in Verspieltheit, etwa läppische, leiernde Wiederholung, verfällt. Auch noch in den Monologen vorm Selbstmord grimassiert er bubenhaft, feixt wie ein Rüpel. Da diese
kindhaften Knaben auch noch wie junge Hunde sein können, begibt sich ein großer Teil des Spiels auf dem nackten
Bretterboden der Bühne, wo sie sich hinschmeißen, fläzen,
strecken, wälzen. Da wirft sich auch Melchior auf Wendla
(nur ihr Auftritt durch eine Klappe im Bühnenboden deutet
an, daß sich die Szene auf dem Heuboden abspielt), da hat
Wendla vorher, in der Waldszene, bäuchlings gelegen und,
die Zunge in den Mundwinkeln spielen lassend, ihre Unter-
schenkel geschwenkt und Melchior zu den Schlägen mit der
Gerte verführt. Das Pendant dazu: der Auftritt der Ilse, des
Künstlerliebchens. Sie erscheint, im zerrauften weißen
Kleid, mit einer Maske auf dem Gesicht, einer grinsenden,
pappenen, wie ein Bote aus einer andern Welt, ein Lotteren-
gel. Später wälzt auch sie sich am Boden, spreizt die Beine.
Aber Moritz läßt sich nicht verführen. Ihn lockt der Todes-
trieb.

Zadek läßt das Stück fast ungekürzt spielen, nur eine kurze
Wendla-Szene und Ilses melodramatischer Auftritt am Grab
fallen weg. Er braucht keine der heiklen Szenen zu unter-
schlagen. Hänschen Rilows Abort ist als Holzkasten mit
geöffnetem Deckel neben dem Foto der Tushingham zu sehen, er vollzieht seine erregte Andacht vor den Abbildungen
nackter Frauen in einem komisch-pathetischen Tonfall, den
fiebrige Exaltation durchzittert. (Wolfgang Giese, der Darsteller des heiklen Bildes, erhielt in der Premiere Szenenap-
plaus.) Hänschen ist sonst als ein glatter, nymphenhafter

Schlingel gegeben. In der homoerotischen Szene im Wein-
berg umgirrt er wie ein Schlänglein den massiven Ernst Ro-
bel (den Hans Peter Hallwachs als komische Vorahnung des
späteren Erwachsenen mit tiefen, falsch-seriösen Tönen
spielt). Selbst die Masturbation um die Wette in der Korrektionsanstalt wird nicht weggelassen, wenn auch nur eben
angedeutet.

Die Aufführung hat, wenn man so will, drei Ebenen: erstens
die demonstrativ eingerichtete helle Bühne, zweitens das
durchaus sinnliche, tollende, dalbernde, sich wälzende Spiel,
drittens den Dialog, der, nicht sehr nuanciert, von den Kindern mit einer Art von zitierender Natürlichkeit gesprochen
wird. Nun erzwingt das akustisch äußerst ungünstige Bremer Theater schon eine ziemliche Lautstärke, aber auch Wedekinds eigentümlich papieren stilisierte Sprache (sie ist
nicht ohne Schönheit) erlaubt kaum Nuancen. Ganz und gar
›hergestellt‹ werden muß die Kindlichkeit der Wendla Bergmann: Judy Winter, eher groß und schwer wirkend, gelingt
das mit eben jenem Tonfall zitierter Natürlichkeit.

Die poetische Größe des Stückes, auch das lehrt diese Aufführung, kulminiert in der Schlußszene. Sie öffnet den Blick
aus dem pubertären Dunstkreis. Die Objektivation, die Wedekind in jeder Szene mühelos erreicht, findet hier ihre for-
male Krönung, indem das bloß Wahrscheinliche übersteigen
wird. Dieser Vorgang läßt sich auf Minksens heller Bühne
wunderbar darstellen. Kein Friedhofsschummer, keine
Grabsteine, keine faulen Bühnentricks, um Moritz Stiefel
mit dem Kopf unter dem Arm erscheinen zu lassen. Nur eine
Luke im Bühnenboden, da erscheint Moritzens Hand und
stellt einen Kopf, einer Friseurschaufensteratrappe ähnlich,
auf die Bretter. Dann erscheint der ganze Moritz, nimmt den
Pappkopf unter den Arm, spaziert über die Bühne, sitzt
schließlich, bei den Schlußworten, hart an der Rampe, auf
dem Kopf. Die schöne Freiheit der Szene tritt in Erscheinung. Der vermummte Herr tritt im tadellosen Frack mit
Umhang auf, er trägt keine Larve, birgt nur anfangs das
Gesicht ein wenig hinter dem weißen Seidenschal. Zadek hat

hier im Text kräftig gestrichen, Munkeleien fallen weg. Der
Herr im Frack (Kurt Hübner) ist eindeutig: das weltoffene
Leben. Melchior Gabor geht mit ihm. Wenn er vorher mehr-
mals die Hand des toten Moritz ausschlug, so läßt Zadek die
beiden dabei noch einmal knäbische Finten vollführen. Aus
selbstvergessener Alberei ist jetzt bewußte Erinnerung geworden: heiteres Darüberstehen.«

> (Ernst Wendt/Henning Rischbieter: Der ästheti-
> sche Realismus. Peter Zadek und Wilfried Minks
> inszenieren »Frühlings Erwachen« von Wedekind
> 6/65. In: Deutsches Theater heute. Stücke, Regis-
> seure, Schauspieler, Theaterbau 1960–67. Eine
> Auswahl aus der Zeitschrift »Theater heute«. Vel-
> ber: Friedrich, 1967. (Sammlung Theater heute
> Nr. 1.) S. 109.

Klaus Völker (geb. 1938) vergleicht »Frühlings Erwachen«
mit Jean Vigos (1905–34) Film »Zéro de Conduite« (1933)
und macht neue Inszenierungsvorschläge:

»Wedekind nennt ›Frühlings Erwachen‹ eine Kindertragödie. Diese Bezeichnung ist irreführend. Das Stück kann man
nicht als Tragödie inszenieren. Der Text würde gespreizt
und lächerlich wirken. Hauptaufgabe einer Inszenierung
kann nur sein, den phantastischen, bizarren Humor des
Stückes hervorzukehren. Die Konferenzszene ist keine
bloße Karikatur, sondern eine ins Phantastische gesteigerte
Vision der Schüler. Hier werden die Lehrer so vorgeführt,
wie sie die Kinder, die unter ihnen zu leiden haben, sehen.
Wedekind kehrt die Verhältnisse ähnlich um wie vierzig
Jahre später Jean Vigo in seinem Film ›Zéro de Conduite‹,
der entschieden radikaler nur noch bei den Schülern Vernunft und Moral gut aufgehoben findet. Durch den *vermummten Herrn* bringt Wedekind ein versöhnliches Moment ins Spiel: *Es widerstrebte mir, das Stück, ohne Ausblick
auf das Leben der Erwachsenen, unter Schulkindern zu
schließen.* Jean Vigo läßt am Schluß seines Films die Kinder
triumphierend über die Dächer der Stadt laufen. Ein schau-
spielerisches Detail des Films ist besonders geeignet für die

Darstellung der Lehrer in der Konferenzszene: Vigo läßt den mißgestalteten Rektor des Internats mit langem Bart und krähender Fistelstimme von einem Kind spielen. Man könnte Rektor Sonnenstich und die Professoren Affenschmalz, Knüppeldick, Hungergurt, Knochenbruch, Zungenschlag und Fliegentod mit Kindern besetzen, die dann ›Lehrer‹ zu spielen haben. Die Darstellung der Knaben durch junge Schauspieler wäre so weniger problematisch und brächte sogar den dramaturgischen Effekt des Stückes besser zum Ausdruck. Es würde verhindert, daß ›Männer in mittleren Jahren mit rasierten Gesichtern Mutierung der Kinderstimme simulieren müssen‹, wie Trotzki in einer bissigen Polemik gegen ›Frühlings Erwachen‹ einmal anmerkte. Wird die Konferenzszene richtig inszeniert, ist sogar die Weinbergszene (III,6), die meistens gestrichen wird, spielbar. Gerade diese Szene, wenn sie einfältig und lachend gespielt wird, demonstriert wunderbar die Überlegenheit der Kinder. Die Friedhofsszene (III,7) schließlich muß realistisch gespielt werden. Der Auftritt Stiefels ist kein Traumerlebnis Melchiors. Es dürfen keine Mittel ersonnen werden, die diesen Auftritt plausibel machen wollen. Er ist die szenische Vergegenständlichung der Situation Melchiors zwischen Leben und Tod.

Moritz Stiefel ist die interessanteste Figur des Stückes. Der Junge ist kein verrückter Schwärmer. Das Gymnasium sitzt ihm wie ein Alpdruck im Nacken, den er nicht abschütteln kann. Die Umwelt experimentiert mit seiner schwachen Seele. Seine Verzweiflung hat ihn schließlich das Lachen gelehrt, in der Friedhofsszene erscheint er als *erhabener Humorist*, als *das erbärmlichste, bedauernswerteste Geschöpf der Schöpfung*, ein Nachfahre des Stiefel im ›Siebenkäs‹ des Jean Paul.«

Völker: Frank Wedekind. Velber: Friedrich, 1965. (Friedrichs Dramatiker des Welttheaters. Bd. 7.) S. 27 f. (²1970 auch dtv. Bd. 6807.)

2. Polemik und Interpretation

»Das litterarische Echo« (Berlin) nahm ein Spottgedicht Paul
Heyses (1830–1914) auf, das zuerst in der Wiener »Neuen
Freien Presse« erschienen war:

Heyse contra Wedekind

Paul Heyse hat mit den hohen Jahren die alte Kampfes-
freude nicht verloren, mit der er von jeher gegen moderne
Literaturströmungen sein altes Schönheitsideal – nicht immer mit Glück – zu verteidigen pflegte. Sein jüngster Tjost[9]
auf diesem Gebiete gilt dem vielbewunderten und vielverlä-
sterten Frank Wedekind und seinem jetzt zum dramatischen
Modeobjekt gewordenen Jugendwerke ›Frühlings Erwachen‹. In der ›Neuen Freien Presse‹ läßt sich der münchner
Dichter also vernehmen:

> Welch genialisches
> Streben, in Bildern
> Rein animalisches
> Leben zu schildern;
> Da ja dem kräftigen
> Dichter das Recht blieb,
> Sich zu beschäftigen
> Mit dem Geschlechtstrieb!
>
> Wie der sein Wesen treibt
> In freier Minne,
> Oft auch zum Bösen treibt,
> Perverse Sinne, .
> Längst in bewunderten
> Dramen von heute
> Zeigten's zu Hunderten
> Erwachs'ne Leute.
>
> Doch auch unmündigen
> Kindern beizeiten

9 Turnierzweikampf mit scharfen Waffen in der Ritterzeit.

Soll jetzt das Sündigen
Freude bereiten.
Das noch so blöde Kind –
In dieser Richtung
Findet's Frank Wedekind
Schon reif zur Dichtung.

Was hochnotpeinlich ist,
Beklatscht man gerne.
Und wer zu reinlich ist,
Der bleib' uns ferne!
Der ist der Beste nicht,
Des schwacher Magen
Kleine Inzeste nicht
Gut kann vertragen.

Altväterzüchtigkeit
Ward längst zur Sage,
Und ihre Nichtigkeit
Kam nun zutage.
Drum soll die Jugend sich
Früh schon bequemen,
Schamhafter Tugend sich
Gründlich zu schämen.

Alles Lebendige
Entsteht durch Zeugung.
Das Unanständige
Ist uns're Neigung.
Das Unbeschreibliche,
Hier wird's getan;
Das Ewigweibliche
Ist nur ein Wahn!

Das litterarische Echo 9 (1907) H. 13. Sp. 1020f.

Richard Elsners (1883–1960) Betrachtung über »Frühlings
Erwachen« findet darin vor allem Widersprüche, Unge-
reimtheiten und Unwahrheiten:

»Uns scheint es, als sei die Kunst zu frei geboren, um die
Dienerin irgend einer Sache sein zu können, und sei es auch
der höchsten. Die Kunst verliert, wenn sie zu Reklamezwek-
ken gebraucht wird.

[...] Wenn wir den Verfasser recht verstanden haben, so
stellt sich die von ihm verfochtene Tendenz folgendermaßen
dar: Laßt eure Kinder, wenn der Geschlechtstrieb erwacht
einen tiefen Einblick in die Zeugungsgeschichte des Menschen tun, damit das Wissen sie vor Fehltritten schütze
Diese Tendenz hat der Verfasser durch das ganze Stück ge-
zerrt, und um dieser Tendenz willen hat er uns viel Unwah-
res beschert. Und dann, glaubt der Verfasser wirklich, daß
bloßes Wissen in geschlechtlichen Dingen vor Fehltritter
bewahre? Dann müßten ja ohne weiteres die am tugendhaf-
testen sein, die am besten Bescheid wissen, wie Hänschen
Rilow.

Aber der Verfasser meint noch etwas anderes. Mit dem Erwachen des Geschlechtstriebes stellt sich oft eine Wißbe-
gierde ein, die befriedigt werden muß. Es ist wahr, die Wiß-
begierde wird getötet, wenn sie befriedigt wird; nur zweifeln
wir, ob sie in diesem Falle befriedigt werden *kann*. Die Zeugungsgeschichte ist ein dunkles Kapitel im Buche des Lebens. Das Wesen der Zeugung werden wir nie erkennen,
denn ins Innere der Natur dringt kein erschaffener Geist
Die Zeugungsgeschichte ist nicht nur dem Jünglinge, sondern auch noch dem Greise ein verschleiertes Bild zu
Sais[10].

[...] Wie weit es in der Interessensphäre der Schule liegt
auch für die geschlechtlichen Bedürfnisse der Schüler Sorge
zu tragen, wollen wir hier nicht erörtern. Nach Ansicht unseres Hänschen Rilow wäre es wohl am besten, wenn jeder
Schule gleich ein Bordell angeschlossen wäre. Dann würde
ihn vielleicht ›die kalte Keuschheit‹ nicht mehr zur Un-
keuschheit verführen. Wir wollen dem guten Hänschen gar
nicht seine Privatschatulle nehmen – sie ist ja das schöne

10 Bezug auf Friedrich Schillers gleichnamiges Gedicht von einem verhüllten
Götterbild in der altägyptischen Stadt Sais.

Ergebnis der Belehrungen der Gouvernante –, wir hätten
vielleicht gar nicht von ihm gesprochen, wenn nicht von
dieser Schatulle aus seltsam grauliche Lichter auf die Erzieher fallen würden. [...]
Der Eindruck, den dieses Stück hinterläßt, ist kein günstiger.
Sympathie vermag keine der handelnden Personen zu erwecken. Es sind eben nur Automaten, die die Anschauungen
des Verfassers oft in leidlicher, an sehr wenigen Stellen in
poetischer Form hererzählen. Auf jeder Seite kann man sagen: Man fühlt die Absicht und man ist verstimmt. [...]
Im großen ganzen ist diese Tragödie ein konfuses Sammel-
surium von einzelnen Ansichten und Gedankensplittern, das
jedes geistigen Bandes entbehrt und das durch einen mysti-
schen Dunstschleier in die Sphäre des Interessanten gerückt
ist. Widersprüche finden sich, wie wir nachgewiesen zu haben glauben, in Hülle und Fülle. Die meisten Charaktere
sind unwahr. Wohl hat der Verfasser gut beobachtet; aber er
hat es nicht verstanden, seine vereinzelten Beobachtungen
zu einem einheitlichen Ganzen zu gestalten. Wir glauben,
daß der Verfasser eine gute Absicht gehabt hat, daß er aus-
ziehen wollte zum Kampfe gegen veraltete Anschauungen und Unverstand, und wir glauben ihm schließlich auch,
daß in dem Titel ›Frühlings Erwachen‹ eine bittere Ironie
stecken soll. Das alles macht jedoch unsere Tragödie nicht
besser; der Stempel der Unwahrheit ist ihr zu deutlich aufge-
drückt.«

> Elsner: Frank Wedekind's Frühlingserwachen.
> Berlin/Charlottenburg: H. Kurtzigs, 1908. (Mo-
> derne Dramatik in kritischer Beleuchtung. H. 1.)
> S. 10f., 13, 22f.

Bei allem Lob für die »kühne, künstlerische Tat« Wedekinds
kritisiert Julius Kapp (1883–1962) die karikaturistische
Zeichnung der Lehrergestalten:

»Der Dichter ergreift in diesem Werke rückhaltlos, ja mitunter sogar zu rückhaltlos, für die Jugend Partei gegenüber
ihren Eltern und Erziehern. Am schlimmsten kommt dabei

die Schule und ihre Lehrer weg. Schon die Namen der einzelnen, wie Hungergurt, Zungenschlag, Fliegentod, Affenschmalz, Sonnenstich sind zu ›liebevoll‹. Die Gestalten der Konferenz und der Beerdigungsszene wirken wie ein Karikaturenkongreß. Die Episode mit dem zugemauerten Fenster des Konferenzzimmers ist an und für sich recht ergötzlich und auch nicht unzutreffend beobachtet. Solche Debatten über die nebensächlichsten Dinge während der Verhandlung der wichtigsten Fragen und diese Umständlichkeit bei Erledigung der einfachsten Sachen sind ja in Lehrerkonferenzen absolut nichts Ungewöhnliches. Aber das Thema ist zu weit ausgesponnen und zu kraß karikiert. All diese Leute wirken nicht mehr wie Menschen, sondern wie aus dem Simplizissimus ausgeschnittene Grotesken von Th. Th. Heine. Bei der Aufführung wirken diese Stellen natürlich sehr effektvoll und finden auch immer ihr Publikum, aber durch ihre absolut possenhafte Wirkung sind sie leider dazu angetan, den tiefen, tragischen Zug und sittlichen Ernst der sonst in dem Stücke liegt, zu schädigen und dadurch die ethische Perspektive des Ganzen zugunsten einer wohlfeilen Tendenz arg zu verschieben. Eine *maßvolle* Karikatur wäre an dieser Stelle von großem Vorteil gewesen und hätte sich, ebenso erfolgreich, leicht erreichen lassen. Leider hat der Dichter bei der Bühnenbearbeitung zwar die drastischen Namen ein wenig gemildert, aber das Groteske dieser Szene eher noch verstärkt als abgeschwächt. Eins möchte ich zum Schlusse noch ganz besonders hervorheben, daß dieses Werk durch und durch ein *reines* Kunstwerk, nur aus reinen und edlen Motiven entsprungen ist, und daß es das unbestreitbare Verdienst hat zum ersten Male (vor nunmehr 17 Jahren!), das heute noch so aktuelle Thema der ›Jugendaufklärung‹ vor der Öffentlichkeit aufgerollt zu haben. Es war eine kühne künstlerische Tat von unvergänglichem Wert.«

Kapp: Frank Wedekind. Seine Eigenart und sein Werke. Berlin: Hermann Barsdorf, 1909. S. 118f.

Der Kritiker Julius Bab (1880–1955) widmet der Rolle Frau Gabors einen eigenen Aufsatz, kommt darin aber auch zu allgemeinen Schlußfolgerungen über »Frühlings Erwachen«:

»Für unsere Zeit ist *Frank Wedekind* ganz gewiß einer der merkwürdigsten und interessantesten Bühnendichter. Aber von seinen Produktionen, die heute unter dem Eindruck seiner fanatischen und fanatisierenden Persönlichkeit eine verwandt gestimmte Gesellschaft mit Interesse aufnimmt, werden vielleicht nicht viele in das dauernde Leben der deutschen Bühnen eingehen. Eine aber ganz gewiß ›Frühlings Erwachen‹. Denn dies ist seine stärkste und reinste Dichtung. Wedekinds ewiges Thema ist ja der Befreiungskampf der Instinkte, der Ansturm der sinnlichen Gewalten gegen alle Fesseln der Zivilisation und Moral. Der Mensch, der sich finanziell und vor allen sexuell ›durchsetzt‹, oder dem dies zufolge ideologischer Hemmungen mißlingt – das ist sein Thema. Je mehr er neuerdings dies Thema innerhalb unserer Kulturwelt, für deren unvermeidlich bindende sittlichen Kräfte er kein Gefühl hat, darzustellen strebt, je theoretischer wird sein Vortrag, je mehr gewinnt er einen demonstrierend polemischen, einen bei aller Leidenschaft bloß verstandsmäßigen Charakter. In jenem Jugendwerk aber stellt er einen Zustand dar, in dem die erwachende Sinnlichkeit für einen Augenblick wirklich das allmächtige Zentrum des Menschen scheint, und wo die aufwachende Jugend in einen Verzweiflungskampf mit Erziehern geraten muß, die ihren Instinkten nicht den Weg zur kulturellen Veredlung weisen, sondern sie unterdrücken wollen. Hier war mit den Mitteln der Wedekindschen Natur eine Welt darzustellen die allen lebendigen Menschen vertraut ist, die nicht mit theoretischer Forderung, die mit dem einfachen Gefühl erfaßt werden kann. Und hier entstand eine Dichtung überreich an genial gesehenen und gestalteten Lebenszügen.
Freilich, schon dieses schöne und starke Frühwerk zeigt jenen grimmig polemischen Zug, der dann das Wedekindsche Werk mit fanatischen Pedanterien bedrohte: So dichterisch

rein, so zart und lebendig die leidende und kämpfende Jugend dargestellt ist, so wenig sind ihre Bedränger und Bedrücker als irgendwie sinnvolle, in aller ihrer Beschränktheit durch die Notwendigkeit des Daseins gerechtfertigte Wesen gezeichnet – all diese Eltern und Erzieher erscheinen nur in grandiosen Karrikaturen als vollkommen blöde oder gemeine Subjekte. So zerfallen die Szenen, die das Stück mit dem ganzen wilden, lyrisch gewaltsamen Wechseltakt des ›Sturm und Drang‹ vorübertreibt, in zwei stilistisch sehr verschiedene Gruppen, eine lyrisch pathetische, die uns stärkste Lebensillusion erwecken soll und erweckt, und eine groteske, höhnisch bloßgestellte, die der Dichter vielleicht auch noch für Nachbildungen von Lebewesen hielt, die für uns aber lediglich den Wert genialer Karrikaturistik haben können. Zwischen diese, von hingebender Liebe gestalteten, und vom wilden Haß verzerrten Geschöpfe ist vermittelnd nur eine einzige Gestalt gesetzt, das ist Frau *Gabor*. Sie – und allenfalls noch ihr Mann, der ohne all zu karrikaturistische Übertreibungen eine normal konventionelle, intelligent tüchtige Bureaukratennatur zeigt, sind unter den Gegenspielern der Jugend in diesem Stück die einzigen Menschen. Frau Gabor aber ist die einzige Figur der älteren Generation, die auch mit Liebe, mit einem wirklich dichterischen Anteil behandelt ist, und deshalb ist diese kleine Rolle für das Ganze des Stücks, für sein Gleichgewicht, seine Harmonie von größter Wichtigkeit.«

Bab: Nebenrollen. Berlin: Oesterheld & Co., 1913. S. 206–208.

Kurt Herbst urteilt weitgehend vom Standpunkt der von Wedekind angegriffenen Erwachsenenwelt aus über »Frühlings Erwachen«:

»Hänschen Rilow, einer der Schulkameraden Melchiors und Moritzens, sucht durch Selbstbefriedigung krankhaftester Art den in ihm erwachten Geschlechtstrieb sich auswirken zu lassen. Es wäre für die Entwicklung des Gesamtbildes unfruchtbar, wollten wir uns alle Einzelheiten dieser Szene ins Gedächtnis zurückrufen, aber es ist doch äußerst wichtig, ihrer in gebührender Weise Erwähnung zu tun – eben auch um des Gesamtbildes willen. Zu allen krankhaften, bedeutend gesteigerten sinnlichen Verirrungen unserer Zeit zählt eben auch jene im höchsten Grade unästhetische und perverse Onanie, deren außerordentlicher Verbreitung im allgemeinen eine viel zu geringe Bedeutung beigemessen zu werden pflegt. Und was bringt uns gerade jener krankhafte Trieb zurück und wieviel Jünglinge und Backfische sind dieser lüsternen Sinnlichkeit verfallen! Gerade weil sie im Verborgenen geübt wird, achten Eltern und Erzieher viel zu wenig auf ihr Vorhandensein; ein jeder, der zu einem Erzieheramt berufen ist, sollte mit scharfem Auge seine Kinder oder anvertrauten Zöglinge daraufhin zu beobachten sich bemühen, dann würde viel mehr Pflicht- und Ehrbewußtsein, viel größere Arbeitsfreudigkeit und gesteigerte Intelligenz vorhanden sein und zahlreichen Menschen würde am Aufstieg der Menschheit in bedeutendem Maße mitzuarbeiten die Möglichkeit gegeben werden. Ich möchte aber noch weiter gehen und es ruhig aussprechen, daß ich in jener sexuellen Verirrung einen Hauptgrund der ethischen Degeneration aller Völker erblicke, die sich in nicht selten ungerechtfertigter Weise den Sammelnamen Kulturvölker beizulegen anmaßen. [...]

Er [Melchior] zieht sie [Wendla] in dem althergebrachten Brauche der bürgerlichen Gesellschaft an sich, diese aufbrechende Mädchenblume, die im Lenz ihres Lebens erwachende jungfräuliche Seele, zieht sie an sich, hört ihr Herz höher schlagen und will sie küssen. Vielleicht, daß er es mit kalten Lippen getan hätte, aber er hätte sie dann doch so geliebt, wie man in der bürgerlichen Welt mit ihrer Moral zu lieben die Erlaubnis erhält, ohne den guten Ton zu verletzen. Die Begriffe des ›guten Tons‹, ›bürgerlich-moralische Welt‹ sind eben bei Wedekind wie auch bei den Apostelpredigern ›freier Liebe‹ unserer Tage verzerrt, so daß wir uns mit unsern Ansichten vernunft- und verstandesgemäß darin nicht zurechtfinden. [...]

So schließt die Kindertragödie; ihr Ende ist trübe und ihr Ergebnis peinigend. Nicht etwa peinigend, weil es die Moral der bürgerlichen Gesellschaft und die in ihr geltenden Gesetze rücksichtslos mit Füßen tritt, und wir – die wir uns in dem Strudel der Zeit die wahren Menschheitsideale als leuchtende Vorbilder zu erhalten bestrebt sind – diese rigorose Beurteilung als Infamie nicht gefallen zu lassen die Absicht hätten – o nein! Peinigend aber, weil ein talentvoller Dichter hier sein gequältes Herz ausschüttet und die in langjährigem künstlerischen Suchen gefundenen Akkorde nun, da sie angeschlagen werden – Disharmonien ergeben.

In krassester naturalistischer Form hat er den Stoff darzustellen sich bemüht und verliert sich zum Schluß doch in derartig dunkle symbolische Handlungen, die weniger Symbolik als Allegorie sind; denn sie entbehren des Lebenskräftigen zu sehr. Es sind Handlungen, die keine Handlungen sind. Der Widersprüche sind genug! Das eigentliche Problem vergißt er oder vermag er nicht zu lösen.

Sollte die Kindertragödie in der Tat den Krebsschaden am Lebensnerv eines Volkes, ja einer Menschheit erkennen lassen, so mußte sie – das ist die unbedingt notwendige Forderung, die wir an ein großes Kunstwerk stellen – diesen Krebsschaden auch zu beseitigen den Weg weisen können, statt die Personen, die den Weg zu weisen imstande wären, auf falschen, ja menschenwidrigen Pfaden davoneilen zu lassen.

Auch nicht an einer einzigen Stelle erfahren wir die Lösung des Problems über die geschlechtliche Aufklärung der Kinder, das nach meiner Ansicht diese an Eltern und Arzt verweisen müßte; nicht ein einziges Mal erfahren wir, wie irregeleitete Kinder zu bessern wären. Immer hören wir nur anklagend von dem Verderben, sehen mit groteskem Zynismus die Moral der Gesellschaft in den Straßenkot gezogen, ohne eine befriedigende Lösung zu erfahren. Das ist das Bedauerliche an dem tiefsinnigen Werk Wedekinds, das doch auch viele lyrische Momente hervorbringt. Es ist aber aus einer klaren, scharfen Beobachtung der Zeitzustände heraus geschaffen und hat diese, sie in krassester Form steigernd, bis ins Widerwärtige verzerrt. Bei allem aber bleibt dennoch diese Verzerrung – leider – Wirklichkeit, eine Erfahrungstatsache, deren Realität wir heute nicht mehr zu leugnen imstande sind. –

Das ist unsere Zeit! Diese Zeit, die uns nicht nur an den Abgrund nationalen Bestehens, nein, auch – was viel schwerwiegender für das Fortbestehen eines Volkes ist – an den Abgrund jeglichen sittlichen Wertbewußtseins führte. Nur die tiefste Not kann uns aus diesem Chaos des sittlichen Zusammensturzes erretten, die tiefste Not, in der wir händeringend nach Luft, Wärme und Sonne schreien, in der wir versklavten Toren im Ringen nach echter Freiheit unsern Gott wiederfinden, der uns nicht über die Gemeinheiten des Lebens ein zynisches Lächeln aufs Antlitz schreibt und unter dessen Gnadenhand wir uns niemals an der Verwesung zu erwärmen nötig haben.«

> Herbst: Gedanken über Frank Wedekinds »Frühlings Erwachen«, »Erdgeist« und »Die Büchse der Pandora«. Eine literarische Plauderei von K. H. Leipzig: Xenien-Verlag, 1919. S. 30–33, 52 f.

Paul Fechter (1880–1958) weist auf die Dramatiker des Sturm und Drang sowie auf Georg Büchner als Vorbilder Wedekinds hin. Das Dramatische in »Frühlings Erwachen« wachse aus dem Gefühl, nicht »aus künstlich konstruierten Problemen und Konflikten«:

»Frühlingserwachen«

Diese Tragödie, die vom Herbst 1890 bis Ostern 1891 entstand, ist Wedekinds dichterisch reichstes und im Gefühl schönstes Werk. Die Entwicklung von der »Jungen Welt«[11] mit ihrer leichten Literaturatmosphäre zu diesem dunkel leuchtenden Bilde jungen Lebens ist ungeheuer, Aufstieg und Freiwerden von allen Hemmungen des Menschlichen

11 Wedekinds zweites Drama (1889), das zunächst den Titel »Kinder und Narren« trug.

wie des Handwerks zu einer Hingebung im Gefühl, wie sie
im Werke Wedekinds so stark nicht ein zweites Mal wieder-
kehrt. Und zugleich zu einer Formung des Gefühlten, von
einer selbständigen Sicherheit, wie sie nur eine instinktge-
führte Genialität zu treffen wußte. Es gibt abgesehen von
einer Stimmungsverwandtschaft zum Sturm und Drang nur
ein Vorbild, an das man vor diesen aufleuchtenden und wieder versinkenden Szenen mit ihrer drängenden Fülle des
Fühlens denken kann: Georg Büchner und sein Woyzeck-
fragment. Das Suchende, Drängende, dumpf Ziellose unbe-
wußten Lebens ist hier wie dort zu Visionen von einer Kraft
des Mitschwingenmachens verdichtet, wie sie nur aus einem
rein dichterischen Erleben der Welt und ihres dunkeln Sin-
nes wächst. Büchner ist vielleicht einheitlicher, seine Span-
nung trägt das Ganze vom ersten bis zum letzten Wort; er
macht auch die Szenen noch transparent, in denen er neben
die reine Gefühlsexistenz des Woyzeck die gefühlsentleerte
der bürgerlichen Welt stellt. Wedekind, der das Leben unter
gleichem Gegensatz sieht, ist schärfer, in sich polarer ausein-
andergetrieben: die Schemenwelt seiner Lehrer und Eltern
hat mit der der leidenden Kinder nichts gemein. Es ist, als ob
er hier aus der Welt Büchners hinübergreift in die seines
Gegenspielers Grabbe: wie mit jenem die Kraft, so hat er mit
diesem den Riß gemein, der nach Hebbels Wort die Voraussetzung der Schöpfung ist. Und über beiden baut er dann in
der gespenstigen Schlußszene zusammenfassend ein Stück
seiner Welt, den Willen zur kalten Überlegenheit, deren Wi-
dersinn und Humbug er (auf dieser Stufe) zugleich noch
selbst erkennt.

»Frühlingserwachen« ist die Tragödie der Pubertätsjahre
Kinderschicksale aus der Zeit, in der das erwachende Leben
Schicksal wird, weil seine Dumpfheit an den Erwachsenen
keine Helfer und Führer findet, Untergang junger Seelen, in
denen das Geschlecht erwacht, der Trieb, das Dunkle, von
dem man nicht spricht – das sie unterwirft in Grauen und
Verstrickung, weil die Unnatur der bürgerlichen Welt, die
sie umgibt, dies Urproblem feige als nicht vorhanden behan-

delt, das Natürliche als unsittlich verwirft und die Heranwachsenden allein und hilflos dem Kampf mit der Qual und der Herrlichkeit des Lebens überläßt. Ein Mensch, selbst hindurchgegangen durch alle Wirrnis und Verstrickung der jungen Jahre, in denen Seele und Leib zum Schlachtfeld zwischen Natur und Erziehung werden, gestaltet hier am Schicksal der Jugend das Schicksal der Liebe überhaupt, wie er es sieht: dunkelleuchtendes Aufblühen in jungen Menschen, rein als naturhafter, sinnlicher Trieb, frei von aller Wertung, wie das Erwachen des Frühlings draußen – und Untergang in Jammer, Häßlichkeit und Verbrechen, weil die falsche Weisheit der Menschen über das Natürliche den toten Begriff, das falsche Ideal und die erstickende Sittlichkeit gebreitet hat. Über den Anfängen leuchtet die warme, von Sehnsucht, bangem Ahnen und Wollen erfüllte Atmosphäre von Frühlingstagen in junger Zeit, über den Schluß breitet sich die Kälte des unbeteiligt sein wollenden Zuschauers der menschlichen Narrheit, der als einzigen Führer durch das Chaos höchstens noch den Teufel anerkennt. [...]

Formal steht das Werk in seiner Entstehungszeit ebenso allein. Die drei Akte sind in eine lose Szenenfolge aufgelöst, wie sie später der alternde Strindberg und nach ihm eine ganze Reihe Jüngerer aufgenommen haben: als nächstes Vorbild bliebe wie gesagt Georg Büchner; darüber hinaus weisen Form wie Geist der Dichtung auf den Sturm und Drang noch mehr als auf die Romantik. Keine Vorgeschichte, keine Verknotung von Wollen und Gegenwollen: aus dem Schicksal Mensch zu sein unter Wesen, die es nicht mehr sind, wächst die Katastrophe. Nichts von den Mechanikerverzahnungen Ibsens, nichts von Abmalen der Realität, von seelischen Problemen wie bei Hauptmann: Gefühl, das aus den Urgründen des menschlichen Daseins wächst, wird verdichtet, in knappen, bewußt kunstlosen, wesentlichen Worten zu einer Lebensstimmung geformt, aus der sich Verstrickungen und Konsequenzen ergeben: sie führen zu Explosionen, Zusammenstößen mit der toten Ordnung der Welt – das Leben zerbricht. Die Tragik wächst nicht aus einem metaphysischen Grenzenüberschreiten, sondern aus unmetaphysischem Grenzenziehen der Menschen: die Natur rennt sich an toter Sitte den Schädel ein. Die dramatische Stimmung, die das Ganze stark erfüllt, ergibt sich nicht aus der tragischen Lösung eines von vornherein gewissermaßen mit ziehender Kraft an das Ende projizierten Konflikts, sondern aus der Stimmungskraft der Triebe, um die es geht. Sie erfüllen das Werk mit der drängenden sehnenden Fülle eines Frühlingstages: aus dem Gefühl, das Held und Thema ist, wächst das Dramatische, nicht aus künstlich konstruierten Problemen und Konflikten, die ihre Lösung aus ethischen Regionen empfangen, statt aus natürlichen.

Ist das Werk ein Tendenzdrama? Etwa in dem Sinne: Eltern, klärt eure Kinder auf! Ich glaube kaum. Es kann so wirken, und niemand wird diese Wirkung mehr begrüßt haben als der heimliche Moralist Wedekind. Es ist aber in der Absicht nur eine Gestaltung seines Weltbilds, im Spiegel junger Menschheit, der der Dichter damals selbst zeitlich noch nahe stand – zugleich eine Klage um den Untergang des eigenen Glaubens an die Schönheit des Lebens und der Liebe. Melchior Gabor ist ein wenig Frank Wedekind selber, wenn auch in diskreter Verkleidung. Und das Frühlingserwachen, das hier in Häßlichkeit und Tod versinkt, ist ein Abglanz der eigenen Gläubigkeit, die in der Kälte des Zuschauens und der harten Sachlichkeit des Lebens unterging.

Fechter: Frank Wedekind. Der Mensch und das Werk. Jena: Erich Lichtenstein, 1920. S. 34–36, 42 f.

Bernhard Diebold (1886–1945), der Wedekind unter der Überschrift »Wedekind der Narr« bespricht, stellt »Frühlings Erwachen« über manche spätere Dramen des Autors:

»In ›Frühlings Erwachen‹, seinem ersten Dichterstück, voll Jugendlyrik und Innigkeit, blieb die ethische Absicht noch rein von moralischem Sophismus[12], gesund, ungequält und

---

12 (griech.) Spitzfindigkeit.

voll warmer Menschenliebe. Viel klarer war hier Ethos Kunst geworden als in so manchem späteren Spiel, das mit verzwickten Überredungen eine fleischliche Moral beweisen wollte, wo sich im Faktum weder Moralisches noch Unmoralisches begab: nämlich Natur. Natur, die aus begehrendem Blute rauschend singt. Das Fleisch war Wedekinds Prüfobjekt an den falschen Moralisten. Dieser Kostverächter spiritus sanctus klang aus dürstender Kehle; ihr carne vale war Verbitterung. Aus Hemmung ihrer Leibestriebe ward ihr Blut vergiftet; sie nannten den Naturtrieb Sünde; sie knechteten die nackte Schönheit; sie unterjochten die Jugend. An ihrer Stellungnahme zur Nacktheit und zur Wollust wollte sie Wedekind am sichersten als Kultur- und Lebenshasser überführen. [...]

In ›Frühlings Erwachen‹ läßt Wedekind die ›Philosophie‹ bis auf geringe Keime noch im Mutterschoße seiner Zukunft schlafen und gießt die ethische Tendenz in die Wirklichkeiten seines Stückes. Gegen die falschen Pädagogen geht er vor, die Kindergehirne zermartern; gegen den Unverstand verschämter Eltern, welche die Regungen erster Reife im Körper ihrer selbstgezeugten Kinder Sünde und Gemeinheit nennen. Gegen die ganze Erziehung der Verlegenheit, mit der die Zivilisation sich der Natur schämt, mit der in Schule, Staat und Gesellschaft die Erotik als offiziell nicht existierend behandelt wird. So daß das Liebesleben nur als Geheimwissenschaft und lüsternes Mysterium Geltung findet und in aufkeimenden Halbkindern als böses Gewissen furchtbare Qual und Bedrängnis schafft. Wedekinds Drama galt der Jugend, die in erster Tragik zwischen Körper und Seele steht; die in Pubertät zum Frühling ihres Leibes aufwacht und fragend vor der Triebgewalt erschauert, doch schweigen muß vor menschvergessenen Lehrern, von Scham geschlagen vor dem Blick der Keuschheitspedanten. Das bäumte den Dichter zum Haß auf; zum Haß aus Liebe.«

Diebold: Anarchie im Drama. Kritik und Darstellung der modernen Dramatik. Frankfurt a.M.: Frankfurter Verlags-Anstalt, 1921. 3., erw. Aufl. 1925. S. 44 f.

In seiner Wedekind-Biographie feiert Artur Kutscher
(1878–1960) »Frühlings Erwachen« als »eine literarische
Tat«, bei der die sozialpädagogische Tendenz in den Dienst
des künstlerischen Anliegens tritt:

»Wedekinds ›Frühlingserwachen‹ ist – vom künstlerischen
zunächst einmal abgesehen – wie die Kreuzersonate[13] eine
literarische Tat. ›Ein Weck- und Hilferuf im Namen derer,
die durch die Sünden anderer leiden, die Ärmsten aller Armen, die unschuldig Schuldigen. Es ist schrecklich und häßlich, aber das Häßliche ist hier nicht Selbstzweck, wie bei
den falschen Realisten, sondern es ist ein notwendiges Mittel, das Schreckliche als das, was es ist, den todbringenden
Gifthauch der Verlogenheit, der engen Selbstsucht und der
selbstgefälligen Blindheit darzustellen‹, schrieb die philosophische Tante[14]. ›Frühlingserwachen‹ wäre aber im Gegensatz zu Tolstois Werk um dessentwillen nie geschrieben
worden. Wedekind denkt nicht daran, Verbesserungsvor-
schläge für Erziehung zu machen, wozu ja auch jede andere
Form als die der Dichtung geeigneter gewesen wäre; er schil-
dert auch nicht die Folgen verirrter Pädagogik, weil er es
etwa für notwendig hält, das Thema ›zur Diskussion zu stellen‹. Er läßt seine Probleme selbst für Natur und Recht zeugen und überzeugen. Er benutzt das Motiv lediglich, weil
und insoweit es fruchtbar ist für künstlerische Gestaltung.
Ein weiterer Unterschied von Tolstoi ist dieser: Wenn Wedekind persönlich irgendwo hervortritt, was er als bewußter
Künstler nie unmittelbar tut, sondern stets unter Schleier
und Schminke – ›Wir sehen den Dichter im Dunkeln die
Maske vornehmen‹ heißt es in ›Frühlingserwachen‹ – so ist
das in der Frau Gabor, die mit Liebe, Vertrauen und Verständnis die Natur ihres Sohnes hegt (III,3) und dem un-

13 Roman des russischen Dichters Leo N. Tolstoi (1828–1910) aus dem Jahre
1886.
14 So bezeichnete Wedekind Olga Plümacher, eine Jugendfreundin der Mutter
und enge Freundin der Familie, die, eine Schülerin des deutschen Philosophen
Eduard von Hartmann (1842–1906), mehrere Bücher über den Pessimismus
verfaßte und Wedekind stark beeinflußte.

glücklichen Moritz so gütig zu schreiben weiß (II,5), eine Gestalt, in der besonders viel von Wedekinds Mutter zum Ausdruck gekommen ist. Melchior Gabor, der Züge des Dichters trägt, dabei aber als Gesamtcharakter objektiviert erscheint, vertritt die Prinzipien des natürlichen Auslebens und legt diese auch in einer Schrift ausführlich dar; es ist aber charakteristisch, daß dies Dokument selbst nicht bekannt wird. Auch der vermummte Herr könnte noch als Zeuge für Wedekinds Stellung zu den Dingen angeführt werden; die Widmung des Werkes an ihn bedeutet den Dank des Geretteten. Im übrigen aber ist die Tendenz, wenn man hier überhaupt dieses Wort gebrauchen kann, ganz indirekt und nur im Untergrund gegeben, sie heißt: Achtung vor der Natur, ihrer Reinheit und Kraft, Liebe zum Leben, seiner Größe und Freiheit. So kann Wedekind der Vorwurf nicht treffen, er habe sein Thema negativistisch behandelt; jede unkünstlerisch tendenziöse Benutzung aber ist vermieden.
Die große Frage der Pubertät offen behandelt zu haben, ist tapfer, ehrenhaft. Die charakteristischen Einzelheiten des Problems hat der Dichter mit Ernst und Sachlichkeit künstlerisch verwendet, und es ist mit Fingern aufzuweisen, daß er dabei Lüsternheit vermied.«

Kutscher. Bd. 1. S. 247–249.

Lion Feuchtwanger (1884–1958) sieht in »Frühlings Erwachen« bereits alle Merkmale des reifen Wedekind vorgeprägt. In seinem zuerst auf Englisch (als Vorwort zu: Frank Wedekind, »Five Tragedies of Sex«, übers. von Frances Fawcett und Stephen Spender, London 1952) erschienenen Aufsatz schreibt er:

»Das erste der Stücke dieses Bandes, ›Frühlingserwachen, eine Kindertragödie‹, weist, wiewohl das Werk eines Siebenundzwanzigjährigen, bereits alle Merkmale des reifen Wedekind auf.
Er hat ein Thema angepackt, das vor ihm niemand zu behandeln gewagt hatte und schon gar nicht auf der Bühne, die erotischen Nöte ganz junger Menschen. Seither hat man es

ihm sehr oft nachgetan, auf dem Theater sowohl wie im
Roman, und so begreifen wir nicht mehr ganz die Empörung, welche dieses Stück hervorrief. Aber es wäre ungerecht
zu vergessen, daß die Thesen, die Wedekind hier mit solcher
Vehemenz vorträgt, damals, als er sie niederschrieb, vor
zweiundsechzig Jahren, noch keineswegs Allgemeingut waren. Vielmehr war Wedekind der erste, der, wie ein Richter-
spruch jener Zeit es faßte, ›Dinge auf die Bühne zerrte, die
selbst im Buch hätten ungesagt bleiben sollen‹. [...]
Was das Werk jenseits der kühnen Stoffwahl mit den Stük-
ken des späteren Wedekind gemein hat, ist der Mut, mit
welchem der Dichter seine poetischen Szenen kontrastiert
mit solchen giftiggrünen Hohnes. Das Antithetische, der
Grundzug Wedekinds, ist schon in diesem Frühwerk sein
wesentliches Kunstmittel. Von den zartgezeichneten Porträts der Kinder stechen grell ab die puppenhaft giftigen
Karikaturen der meisten Erwachsenen, der Lehrer vor allem.
Hier schon, wie später häufig, verzerrt der Dichter die Figur
des Vaters, seines Vaters, ins Fratzenhafte.
Die tragikomische Kühnheit der Beerdigungsszene ist ohne
Vorbild. Und großartig schießen das Derbe und das Zarte
zusammen in dem Schlußbild auf dem Kirchhof. Hier, wenn
Wedekind, als Chorus und Vermummter Herr, dem toten
Moritz Stiefel, dem Gespenst, den jungen Melchior Gabor
entreißt, gibt er ein wunderbares Beispiel dessen, was er als
gestaltete Moral anstrebt, als Parabel auf der Bühne. Diese
Szene ist die ideale Erfüllung des Lehrstücks. Die uralte,
primitive Lehre, daß auch das kümmerlichste Leben besser
ist als der Tod, wird verkündet auf völlig neue Art, in den
Klängen einer hellen, schneidenden, zynisch großartigen
Symphonie. In ihr, mit ihr wird der junge Geschlagene, Un-
glückliche dem Leben wiedergewonnen und der Tote in sein
Grab zurückgescheucht, wo er sich an der Verwesung wär-
men mag.«

Feuchtwanger: Frank Wedekind. In: Neue Deutsche Literatur 12 (1964) H. 7. S. 16f.

Jörg Jesch (geb. 1933) untersucht das Neuartige des Wede-
kind-Stils, besonders im Vergleich zu Hauptmanns Naturalismus:

»Neben diesem persönlichkeitsgebundenen Unterschied [zu
Hauptmann] des Prosastils im Drama ist aber auch der ent-
scheidende Unterschied in der Einstellung zur Wirklichkeit
gegeben. Wedekinds Prosa wollte nicht ›wirklichkeitsnah‹
sein. Er läßt sich nicht auf die realistische Syntax der Vulgär-
sprache ein, sondern erstrebt eine neue, gesteigerte, stilisierte
Wirklichkeit, die für ihn zur ›Selbstverständlichkeit‹ wird.
Seine Figuren reden Schriftdeutsch, und zwar ›ein sehr spezifisches Wedekind-Schriftdeutsch‹.* – Oft trägt seine Prosa
aber auch alle Anzeichen trivialer Klischeesprache oder epi-
gonalen Schwulstes. Ausgesprochene Fehler tauchen allerdings gehäuft erst später mit anderen Unsicherheiten auf, als
Prosa und Vers gemischt werden, oder als das Metrum wie
eine Zwangsjacke über die Prosa gestülpt wird.
Das für seine Zeitgenossen so erregend Neuartige und Au-
ßerordentliche des Wedekindschen Stils liegt nicht in den
›statischen‹ Elementen der Sprache, wie Bildgehalt und Me-
taphorik, es ist vielmehr die neue Dynamik, die rhythmische
Kraft und Bewegung, mit der die oft schablonenhafte Sprache gegliedert, gerafft und geballt wird. Diese Durchsetzung
der Sprache mit neuen Energien, Steigerung und Variation
von Ton und Tempo, Gespanntheit und Konzentration bis
zu scheinbarer Starrheit, erregte Aufsehen und wurde nach-
geahmt. Von spielerischer Leichtigkeit bis zur geballten
Eruption reicht die Skala der neuen Ausdrucksdynamik. So
fand Wedekinds Verherrlichung unbeirrbarer Intelligenz,
von Leidenschaftlichkeit und Temperament ihre energiegela-
dene Sprachform.
Diese Erscheinung ist nicht zuletzt darauf zurückzuführen,
daß Wedekind selbst sehr großen Wert auf die sprecherische,
deklamatorische Wiedergabe seiner Werke legte. Seine Re-

* G. Zivier, »Unser schwieriges Verhältnis zu Frank Wedekind«, in: Frankfurter Allgemeine Zeitung, 7. 5. 1958.

gieanweisungen, die besondere Form der Interpunktion, die Bühnenbearbeitungen und vor allem die Stimmen der Zeitgenossen zu seinem persönlichen Auftreten als Schauspieler zeugen davon. Manche stilistische Neuerung hat sicher ihren Ursprung in der pointierenden und geistreich formulierenden Manier der Brettlsprechkunst. Bis in den Sprachstil seiner Dramen, vor allem des ›Marquis von Keith‹, ist die sprecherische Vehemenz des großen Diseurs Wedekind zu spüren.

Seine Dynamisierung der Sprache brachte aber auch formal neue Erscheinungen hervor. Hier liegt die andere wichtige sprachliche Leistung Wedekinds. Es sind: die sprachliche Groteske, vor allem ihre ›tragische‹ Form, die besondere Dialogführung und der eigenwillige Gebrauch von äußeren Bewegungselementen. – Die Groteske war die letzte Konsequenz in der Entpsychologisierung der Sprache. – Der Dialog zeigte vom starren Nebeneinanderhersprechen über monologische Schaudiskussion, dialektische Auseinandersetzung, alle Variationsformen der Konversation, polyphone und kontrapunktische Verschlängelung und Verzahnung bis zu grotesker Sprunghaftigkeit viele für die deutsche Bühnensprache neue Formen. – Gestik und Mimik standen entweder im Dienste der sprachlichen Ausdrucksbewegung, paßten sich dem unpsychologischen Stil an, oder beeinflußten von ihrer eigenen Exzentrik her den Sprachstil. Immer wieder war auch die Neigung zur Verselbständigung der Gebärdenkunst zu beobachten, wenn die Pantomime an Stelle des gesprochenen Textes rückte, unabhängig vom Text ablief.«

Jesch: Stilhaltungen im Drama Frank Wedekinds.
Diss. Marburg 1959. S. 111f.

Karl S. Guthke (geb. 1933) klassifiziert »Frühlings Erwachen« mit mehreren Einschränkungen als Tragikomödie:

»Das Jugendwerk, mit dem Wedekind sich notorisch machte, ›Frühlingserwachen‹ (1891 geschrieben) weist sich zwar im Untertitel als Tragödie aus, ›Kindertragödie‹ genauer, aber der Verfasser bemerkte auch, er habe sich während der Arbeit etwas darauf eingebildet, ›in keiner Szene, sei sie noch so ernst, den Humor zu verlieren‹ (IX, 424 und 447f.). Beide Aussagen, so sehr sie sich zu widersprechen scheinen, sind durchaus zutreffend, und nicht weniger die briefliche Äußerung, die beide verbindet, daß nämlich das Stück ›um so ergreifender‹ wirke, ›je ... lachender es gespielt wird‹ (an Fritz Basil, 3. Januar 1907). Denn ansatzweise handelt es sich bei diesem Stück tatsächlich um eine Tragikomödie, wenn auch die stilreine Erfüllung des Gattungsgesetzes durch zweierlei beeinträchtigt wird, einmal durch den Umschlag ins Groteske am Schluß, als der Selbstmörder, Moritz Stiefel, mit dem Kopf unter dem Arm auf dem Friedhof erscheint und Reden führt, deren unheimlich-grausige Lächerlichkeit zu seinem ganzen Auftreten stimmt, und zweitens durch die mehr lebenspraktisch orientierte pädagogische Absicht, Erzieher und Eltern zu einer ›humaneren, rationelleren‹ Beurteilung der Jugend in der Pubertätsphase hinzuführen (an einen Kritiker, 5. Dezember 1891). Immerhin ist die zugrunde liegende tragikomische Bauform deutlich als die erkenntlich, die Lenz mit dem ›Hofmeister‹ in die deutsche Literatur eingeführt und die dann Büchner im ›Woyzeck‹ wiederaufgenommen hatte. Das heißt: der Untertitel Tragödie bezieht sich auf die dramatische Gesamtkonstellation, die schicksalhafte Situation, in der die Halbwüchsigen scheitern. Diese Tragik wird aber in zweifacher Weise modifiziert, einmal indem es fast nur komische Figuren sind, die jene Situation konstituieren, und zweitens indem die Opfer selbst leicht karikiert sind. [...]

Die Tragödie ist, daß alle Erziehungsinstanzen gerade zu dem Zeitpunkt versagen, als die Jugendlichen ihrer Hilfe und Führung am meisten bedürftig sind, zur Zeit der Pubertät. Sie versagen auf komische Weise. Es versagt das Elternhaus, dargestellt etwa an der Prüderie der Frau Bergmann, die ihre vierzehnjährige Tochter in dem Glauben belassen möchte, Kinder würden vom Storch gebracht, sich dann aber unter dem Zwang der Situation zu einer völlig unzureichenden ›Erklärung‹ versteht, die nicht nur geradezu ulkig wirkt, sondern auch wieder Neugier erweckt und so die Tragödie mit ins Rollen bringt. Ähnlich die ultramoderne ›liberale‹ Erzieherfigur mit dem sonoren Geschwafel, Frau Gabor, die nicht verhindern kann, ja: z.T. selbst bewirkt, daß ihr Sohn durch verfrühtes Wissen maßloses Unheil stiftet. Nicht weniger versagt die Schule. Wir erinnern nur an die Namen der Lehrer: Affenschmalz, Knüppeldick, Hungergurt, Knochenbruch, Zungenschlag, Fliegentod, Sonnenstich, erinnern an die absurd-komische Konferenz, auf der sich diese Typen in Aktion zeigen. Komisch unfähig ist schließlich der Arzt, Dr. von Brausepulver: er besiegelt einen Teil der Tragödie, indem er Abtreibung als Bleichsucht behandelt nach dem bewährten Muster der Brathühnchen verschlingenden Baronesse Elfriede von Witzleben. Komisch versagt auch der Pastor Kahlbauch, der genau weiß, wievielfach ein Selbstmörder verdammt ist. Solche *komischen* Personen also bilden eine Welt, die der Jugend zum *tragischen* Verhängnis werden muß: ohne Verständnis und Sympathie, ohne Unbefangenheit und Verantwortungsbewußtsein engen die Kreise der Erwachsenen die Männer und Frauen werdenden Kinder ein, stoßen sie in ihre eigene psychische Notlage zurück und führen so die Katastrophe herbei. [...] In allen Fällen ist es gesundes, wertvolles Menschentum, das mit dieser Jugend vernichtet wird: Erdrückung vitalen Reichtums durch eine unfähige Gesellschaft, so daß man durchaus recht tut, hier mit dem Verfasser von Tragödie zu sprechen. Eine eigene Nuance bekommt diese aber noch durch die Tatsache, daß die Opfer wiederum lächerlich gezeichnet sind, und zwar ist diese Lächerlichkeit sehr geschickt mit den Qualitäten in diesen jungen Menschen verknüpft, die sie zum Tragischen befähigen oder dafür anfällig machen: die entwicklungsbedingte Unreife und Unwissenheit ist es, die zur Überspitzung ins Komische gewählt ist. Bei allen Kindern dieses Dramas ist eine merkwürdige Verquickung von Kindsköpfigkeit und Altklugheit in die Charaktergestaltung eingegangen. Wendlas Komik betonte Wedekind selbst in dem genannten Brief an Fritz Basil. [...]

Komisch ist der gewichtige Pennälerschnack dieser Kinder, die von der ›Skylla religiösen Irrwahns‹ reden und sagen: ›Du wirst überrascht sein; ich wurde seinerzeit Atheist‹, seinerzeit: bei der Aufklärung über die ›Fortpflanzung‹ (I,2). Komisch wirkt auch Melchiors nervös überreizte Intellektualität, die gleich auf die tiefsten Fragen – und was wird nicht alles dazu vertieft! – Antwort haben muß – unter Androhung, widrigenfalls die ›Kinderlehre‹ zu schwänzen. [...]
Wir brauchen dies nicht weiter auszuführen. Einem vergleichenden Blick auf ›Woyzeck‹ z. B. dürften die tragikomischen Möglichkeiten solchen Gestaltens nicht entgehen. Um so mehr ist es zu bedauern, daß sich final gerichtete Satire auf die pädagogische Situation der Zeit einmischt und daß im weit ausgesponnenen Schlußteil die Wendung ins Groteske die Tragikomödie ihrer strikten gattungsmäßigen Reinheit beraubt.«

Guthke: Geschichte und Poetik der deutschen Tragikomödie. Göttingen: Vandenhoeck & Ruprecht, 1961. S. 330–332.

Für Peter Michelsen (geb. 1923) liegt die Stärke von »Frühlings Erwachen« nicht im Thesenhaft-Theoretischen, sondern im Atmosphärischen, das zum Träger des Dichterischen werde:

»Gott-sei-Dank ist das Thesenhaft-Theoretische, das sich in alldem – wie auch in manchen der als Dialoge aufgeputzten ›Schau-Diskussionen‹ – ankündigt, in ›Frühlings Erwachen‹ nur peripher; auch vom Satirischen, das vor allem in der karikierten Lehrerkonferenz, aber auch in der törichten Prüderie der Frau Bergmann zum Ausdruck kommt, geht die Lebenskraft des Stückes nicht aus. Seine Stärke liegt nicht im Programm: in der Kampfstellung zwischen den lebens- und genußstarken Naturen einerseits und den durchschnittlich Engstirnigen der Bourgeoisie andererseits (zweier Typen, die Struktur und Geist der Wedekindschen Dramatik immer stärker bestimmen sollten); sie liegt in der Art und Weise,

wie der die Jugendlichen bedrängende Zwischenzustand
zwischen Mädchen und Weib, zwischen Jüngling und Mann
gestaltet wird. Dieser Zustand wird von ihnen mehr gespürt
als gewußt, und ihr dumpfes Spüren überträgt sich auf den
Zuschauer, indem gerade das Atmosphärische – ein Element,
das in den späteren Dramen fast nur noch in seiner makaber
grotesken Variante von Bedeutung sein sollte – zum Träger
des Dichterischen wird. Nicht nur in den Naturszenerien –
des sonnigen Waldnachmittags (Akt I, Sz. 5), der Gewitter-
schwüle auf dem Heuboden (Akt II, Sz. 4), der Abenddäm-
merung am Fluß (Akt I, Sz. 7), der Beerdigung bei strömen-
dem Regen (Akt III, Sz. 2), des Weinberges bei Sonnen-
untergang (Akt III, Sz. 6) – ist solch ein Stimmungshaftes
dominierend. Die Bühnenanweisung z. B., mit der der
zweite Akt eingeleitet wird: ›Abend auf Melchiors Studier-
zimmer. Das Fenster steht offen, die Lampe brennt auf dem
Tisch. – Melchior und Moritz auf dem Kanapee‹ ([23,3 ff.];
später kommt Frau Gabor ›mit dem dampfenden Tee, den
sie vor Moritz und Melchior auf den Tisch setzt‹ [25,6 f.]),
hat noch nichts von dem pedantischen Bestreben, das Bühnenbild möglichst exakt zu bestimmen; wichtig ist Wedekind allein, daß sich (durch Angabe des *offenen* Fensters, der
brennenden Lampe, des *dampfenden* Tees) eine spezifische
Abendstimmung mitteilt, die über dem ganzen Gespräch
liegt und dessen harte Konturen aufweicht. Alles Argumen-
tative und Diskursive, woran das Stück an sich gar nicht arm
ist, wird – eingetaucht in dieses Element – aufgelöst und
seiner Aggressivität beraubt. In den locker aneinanderge-
reihten Szenen verliert sich die Dialektik, um Gehör und
nachschwingende Resonanz allein jenen Zwischentönen zu
verschaffen, an denen eine melancholische Lust gerade die
ungestillten Sehnsüchte finden.

Moritz. [...] Ich sehe – ich höre – ich fühle viel deutlicher –
   und doch alles so traumhaft – oh, so stimmungsvoll. – Wie
   sich dort im Mondschein der Garten dehnt, so still, so tief,
   als ging er ins Unendliche. – Unter den Büschen treten

umflorte Gestalten hervor, huschen in atemloser Geschäftigkeit über die Lichtungen und verschwinden im Halbdunkel. [24,12 ff.]

Solch ›Halbdunkel‹ romantischer Observanz legt sich in ›Frühlings Erwachen‹ über das Problem (das heute kaum noch ungemeines Interesse erwecken dürfte) und rettet es als Moment der Gestaltung. Melchior, Wendla, Moritz: die Personen und ihre Not – mehr als ihr um der Dramatik willen pointiertes Schicksal – treten uns nahe und gehen uns an; in ihrem Fleisch, ihrem Blut und den hilflosen Worten, mit denen sie sich und ihren unerklärlichen Drang erklären wollen, wird stets der Mensch sich wiedererkennen in der Ratlosigkeit, die ihn befällt, solange er mit seiner Natur sich selber überlassen bleibt. Hier allein – in keinem anderen Stück Wedekinds – bewegen die Gestalten sich noch frei: sie atmen frische Luft, sind Wind und Wetter ausgesetzt (nur bei den Lehrern herrscht eine ›Atmosphäre wie in unterirdischen Katakomben‹ [43,34 f.]). Daher erscheint das Stoffliche noch wie in einen hellen Schleier gehüllt, gemäßigt durch das fast epische Voranschreiten der Handlung, die lockere Aufeinanderfolge der Szenen, die auf Akte wohl nur deswegen verteilt wurden, um der überlieferten Dramenkonvention zu genügen.«

Michelsen: Frank Wedekind. In: Benno von Wiese (Hrsg.): Deutsche Dichter der Moderne. Ihr Leben und Werk. Berlin: Schmidt, 1965. 3., überarb. und verm. Aufl. 1975. S. 53 f. Wiederabgedr. u. d. T. »Der verkappte Bürger« in: P.M.: Zeit und Bindung. Studien zur deutschen Literatur der Moderne. Göttingen: Vandenhoeck & Ruprecht, 1976. S. 77 f.

Für den Germanisten Hans Kaufmann (geb. 1926) steht »Frühlings Erwachen« »noch in der Tradition des kritischen Realismus des 19. Jahrhunderts«:

»Wie die bestehende Gesellschaft und ihre offiziellen Ideologien, so entfernen nach Ansicht Wedekinds auch die libera-

len Reformbestrebungen den Menschen von seiner wahren
Natur, verschleiern sie ihm, und eben daraus entstünden die
Mißstände. Das berühmte frühe Stück ›Frühlingserwachen‹
(1890/91) zeigt das kritisch und programmatisch. Nicht nur
die entmenschten Repräsentanten der Öffentlichkeit (Lehrer
und so weiter), sondern auch die wohlmeinenden, aber bor-
nierten Eltern versündigen sich schwer an der Jugend und
jagen sie ins Unglück, weil sie sie in ihren Geschlechtsnöten
allein lassen und zurückstoßen. Die Qualen des Sexus und
der Schule treiben Moritz Stiefel zum Selbstmord; Melchior
Gabor kommt in eine Erziehungsanstalt, weil er seinem
Freund sexuelle Aufklärung verschaffte; Wendla Bergmann,
unwissend geschwängert, stirbt an den Abortivmitteln, die
ihr die Mutter eingab, nachdem sie versäumt hat, die Tochter
aufzuklären. Durch die sozial konkrete Fassung des Gegen-
satzes von Natur und Unnatur, der als Generationskonflikt
ausgetragen wird, durch die Aufdeckung der Lebensfremdheit, ja Unmenschlichkeit der offiziellen moralischen Normen reicht die Aussage des Werkes über die bloße Forderung nach sexueller Aufklärung hinaus.
Bei aller Verwandtschaft zum Naturalismus (Anklage gegen
gesellschaftliche Institutionen und Normen, reformerische
Tendenz) zeigt sich in ›Frühlingserwachen‹ Wedekinds eigene Handschrift darin, daß er um der klaren Herausarbei-
tung seiner Gedanken willen auf Wahrscheinlichkeit der De-
tails verzichtet, seine Jungen und Mädchen reden läßt, wie
sie in Wirklichkeit nie reden würden, die Satire zur grotesken Karikatur ausbaut (vergleiche die redenden Namen: der
Lehrer heißt Knochenbruch, der Rektor Sonnenstich, der
Arzt Brausepulver) und einen phantastischen ›Herrn in grau‹
einführt, durch dessen Stimme der Dichter selbst das Leben
gegen den Tod verteidigt. Stärker als bei den Naturalisten ist
in ›Frühlingserwachen‹ das Erbe Büchners lebendig, nicht
nur in der ätzenden Satire, auch in der Art der szenischen
Reihung und in der symbolischen Ausweitung der Handlung.
›Frühlingserwachen‹ steht mit seiner überwiegend satirisch-

kritischen Konzeption noch in der Tradition des kritischen
Realismus des 19. Jahrhunderts. In der Folgezeit geht Wedekind aber darüber hinaus.«

Kaufmann: Zwei Dramatiker: Gerhart Hauptmann
und Frank Wedekind. In: H. K.: Krisen und
Wandlungen der deutschen Literatur von Wedekind bis Feuchtwanger. Fünfzehn Vorlesungen.
Berlin/Weimar: Aufbau-Verlag, 1966. S. 65 f.

In seiner Dissertation setzt sich Friedrich Rothe ausführlich
mit der Gattung der Kindertragödie auseinander, die »Frühlings Erwachen« inauguriert habe:

»Die Kindertragödie verabschiedet den Helden des traditionellen Dramas; mit den Kinderfiguren geht der Bereich vor
der Individualität als Stück menschlicher Naturgeschichte
ins Drama ein. Sie thematisiert Infantilität und richtet sich
gegen den gesellschaftlichen Zwang, der sich in der Gewalt
der Erwachsenen über Kinder reproduziert. Kinder erscheinen als Metaphern der Natur und stehen für ihre Unschuld
jenseits von Moral wie für die Ursprünglichkeit des Geschlechtlichen als Lebenskraft ein. Die Kindertragödie gestaltet das Schicksal, das kindlich-unschuldige Natur in einer
lebensfeindlichen, von der ›Lüge‹ zehrenden Gesellschaft er-
leidet. [...]
Moralisches Handeln aber ist den kindlichen Figuren der
Kindertragödie fremd; ihr Ziel ist Restitution der sich in
Kindern noch unverfälscht manifestierenden menschlichen
›Natur‹, das sie auf widersprüchliche Weise anstrebt. Sie
trägt der gesellschaftlichen Realität Rechnung und versetzt
die kindliche Natur um den Preis des Todes in die Sphäre des
Scheinhaften, ebenso aber sucht sie, durch die Darstellung
pubertärer Sexualität das Leben selbst zu evozieren, das die
gesellschaftliche Realität suspendiert.
Walter Benjamin trifft das eine Moment der Verklärung des
kindlich Unfertigen, wenn er sagt: ›Das Grundmotiv des
Jugendstils ist die Verklärung der Unfruchtbarkeit. Der Leib
wird vorzugsweise in den Formen gezeichnet, die der Ge-

schlechtsreife vorhergehen.‹* Der konsequente dramatische
Ausdruck dieser Unfruchtbarkeit ist der Tod des Kindes in
der Kindertragödie. [...] In ›Frühlings Erwachen‹ erscheint
jenseitige Entrücktheit von der Last des Daseins in der Figur
des Moritz Stiefel. ›Wie der Schatten eines literarischen Arti-
sten hockt dieser Stiefel auf seinem Grabe und verkündet
eine Doktrin, die in den ‚Blättern für die Kunst‘ sich präsen-
tieren könnte‹,** sagt Kurt Martens, der Freund Wedekinds.
Wird Stiefels ›Erhabenheit‹ schließlich als Lüge entlarvt, so
ist die Entrückung vom Leben doch eine große Versuchung
für den starken Melchior Gabor, der er ohne die Hilfe des
›vermummten Herrn‹ nicht gewachsen wäre.
Die Überlegenheit des ›vermummten Herrn‹ läßt in ›Frühlings Erwachen‹ das andere Moment der Kindertragödie her-
vortreten: den problematischen Umschlag auf Negation ver-
harrender Verklärung der Unfruchtbarkeit in Lebenskult.
Auf dem Friedhof erscheint unversehens das rettende Leben.
Weil Wedekind als Personifikation des Lebens kein Naturwesen, etwa eine Pan-Figur, wie sie in der bildenden Kunst
jener Zeit üblich war, auftreten läßt, sondern einen Herrn
mit Gehrock und Zylinder, wird um so deutlicher, wie unvermittelt die bürgerliche Gesellschaft, die eben noch der
Unterdrückung und des Mordes an Kindern überführt
wurde, für einen emphatischen Begriff des Lebens einstehen
kann, vor dem sich die kritisierte geschichtliche Realität zum
Epiphänomen verflüchtigt. An dem ›vermummten Herrn‹,
dessen elegante Kleidung Zweifel an seiner Existenz beheben
soll, erweist sich die Identifikation von bürgerlicher Gesellschaft und naturhaftem Leben. Wedekind nahm keinen Anstand, durch das Titelblatt die Realität der Kindertragödie
ins idyllische Naturbild zu transformieren. [...]
Als ob dieses ›Leben der Erwachsenen‹ nicht im Drama
selbst der Unmenschlichkeit überführt worden wäre, eröff-

* Zentralpark. In: Illuminationen, S. 266. Vgl. Maurice Maeterlinck, Les Aver-
tis. In: Le Trésor des Humbles. Paris 1895.
** Literatur in Deutschland, Studien und Eindrücke, Berlin 1910, S. 101.

net Wedekind am Schluß dennoch den Ausblick auf das Leben, ohne Rücksicht darauf, daß diese eudämonistische Lebensperspektive das Leiden der Kinder als zufälliges Unglück zu eliminieren droht. [...]
Die beiden widerstreitenden Motive der Kindertragödie, die Evokation von naturhaftem Leben und die Verklärung des Unfruchtbaren, vereint lebensphilosophische Dialektik; sie sind Momente im ästhetizistischen Programm des Jugendstils, das Lebenserneuerung durch eine neue Kunst verkündet. ›Leben‹, der ›Wille zum Leben‹, soll als Frühlingserwachen, Jugend oder Erdgeist die Konflikte im Drama, das Leiden einzelner, aufheben und als machtvolle Einheit erkannt werden.«

Rothe: Frank Wedekinds Dramen. Jugendstil und Lebensphilosophie. Stuttgart: Metzler, 1968. (Germanistische Abhandlungen. Bd. 23.) S. 8–12.

In einem Aufsatz in der italienischen germanistischen Fachzeitschrift »studi germanici« interpretiert Friedrich Rothe »Frühlings Erwachen« als Kritik an bürgerlicher Ideologie:

»Aus all dem wird deutlich, wie genau in ›Frühlings Erwachen‹ die Vermittlung des Elternhauses mit den Institutionen der bürgerlichen Gesellschaft gezeigt wird. Die Eltern bedienen sich dieser Institutionen, um sich von für sie unlösbaren Konflikten zu befreien. Frau Bergmanns Unvermögen zur Sexualaufklärung sollen die Abortivmittel der Mutter Schmidtin kompensieren; Rentier Stiefel sucht sich durch das Schulgericht reinzuwaschen; der eheliche Frieden der Gabors wird dadurch hergestellt, daß sie ihren Sohn einsperren lassen. Die Unterwerfung unter den Willen Gottes überhöht diese Handlungen metaphysisch. Mit der Darstellung dieser Zusammenhänge überführt Wedekind die bürgerliche Vorstellung, daß die Familie einen von gesellschaftlichen Zwängen freien Privatbereich gewährleiste, in dem der geplagte Bürger zum Menschen transzendieren könne, ihres ideologischen Charakters. Des Scheins von Intimität entkleidet funktioniert hier Familie als Sozialinstitut, das aufs engste mit anderen gesellschaftlichen Unterdrückungseinrichtungen verflochten ist.

[...] Das Panorama der schlechten Realität, das Moritz Stiefel entworfen hat, ist in der Friedhofszene auch für Melchior durch keine Alternative mehr relativierbar.

An dieser Stelle des Dramas jedoch erreicht die Kritik an der bürgerlichen Gesellschaft ihre Grenze und Wedekind führt als Retter einen lebensphilosophischen *deus ex machina* ein. Der vermummte Herr, die Personifikation des ›Lebens‹, verspricht und gibt neue Hoffnung, ohne daß er sie zu begründen vermöchte. [...] Die weite Welt soll den an der Enge der Heimat Gescheiterten für seine Leiden entschädigen und ihn beglückend Unbekanntes, Neues erfahren lassen. Durch die Versprechungen des vermummten Herrn entschärft Wedekind seinen Angriff auf die bürgerliche Gesellschaft zu einer Kritik an der bürgerlichen Enge. ›Frühlings Erwachen‹ droht damit einer Tradition anheimzufallen, die in Deutschland als idiosynkratische Philisterkritik einen breiten Raum einnimmt und eine wenig aufklärerische Wirkung gehabt hat. Wedekind läßt den vermummten Herrn so reden, als ob in der großen, weiten Welt, die in den neunziger Jahren längst fest in der Hand der imperialistischen Mächte war, weniger Unterdrückung herrschte, als sie Melchior bisher erfahren hat. [...]

Die Vermummung seines *deus ex machina*, die Mystifizierung dieser Figur, erweist Wedekinds Verlegenheit, das historische Subjekt sichtbar zu machen, welches die bürgerliche Gesellschaft außer Kraft setzen und überwinden könnte. Die Möglichkeit des Sozialismus hat er nicht als reale Perspektive gesehen.«

Rothe: »Frühlings Erwachen«. Zum Verhältnis von sexueller und sozialer Emanzipation bei Frank Wedekind. In: studi germanici. n.s. 7 (1969) H. 1. S. 36–40.

Thomas Bertschinger (geb. 1934) betont in seiner pädagogischen Dissertation die Einseitigkeit von Wedekinds Argumentation:

»Wedekind verkürzt alle Probleme auf seine fixe Idee. Wenn
er glaubt, daß das Sexualproblem der pubertierenden Jugend
allein durch Aufklärung und Anerkennung der Sexualität zu
lösen sei, so täuscht er sich. Nur dort, wo sich Kinder in
einem gesunden Milieu befinden, wo Liebe, Vertrauen, Bindung ist, wird Aufklärung zu einer Hilfe. Wenn Wedekind
die Schüler sagen läßt: ›An nichts kann man denken, ohne
daß einem Arbeiten dazwischen kommt!‹ [7,1 f.] oder ›Um
mit Erfolg büffeln zu können, muß ich stumpfsinnig wie ein
Ochse sein!‹ [11,32 f.] so heißt das-für ihn: Ich darf nicht an
meine erwachende Sexualität denken, sonst kann ich nicht
mehr arbeiten. Dies ist ohne Zweifel richtig, doch löst
Wedekind das Problem dann sehr einseitig im Sinne seiner
Weltanschauung und versucht glauben zu machen, man
müsse die Kinder nur ihren Trieben überlassen, dann werde
alles gut. Er sieht nicht, daß die Pubertät nicht nur erwachende Sexualität ist, sondern auch erwachendes Ich-Be-
wußtsein, Reifen der verantwortlichen Person, daß es sich
nicht nur um ein Triebproblem handelt, sondern auch wesentlich um ein geistiges. Es geht nicht nur darum, zu lösen,
sondern auch zu binden. Wie dies in der Schule möglich ist,
beantwortet Wedekind nicht.«

Bertschinger: Das Bild der Schule in der deutschen
Literatur zwischen 1890 und 1914. Zürich: Juris,
1969. S. 59.

Manfred Hahn (geb. 1938) interpretiert in dem Vorwort zu
der von ihm herausgegebenen Wedekind-Ausgabe »Frühlings Erwachen« von der Schlußszene aus nach seiner Auffassung Wedekinds als eines »Kämpfers« gegen »menschen-
feindliche Normen« der bürgerlichen Gesellschaft:

»Die Frontstellungen sind klar bezeichnet. Die Welt der
Kinder wird von ursprünglicher, ›natürlicher‹ Menschlichkeit beherrscht, die Welt der Erwachsenen von der Praxis
und Ideologie bürgerlichen Lebens. Beide sind unvereinbar,
die bürgerliche Gesellschaft mordet alle Natürlichkeit, erstickt sie unter einem falschen Begriffs- und Wertungssy-

stem gesellschaftlicher Normen. Mit ›gutem Gewissen‹ – wie
die grotesk zugespitzten Satiren des dritten Aktes, vor allem
die Konferenz- und die Begräbnisszene demonstrieren, ein
›gutes Gewissen‹, gegen das die Kindertragödie angeht,
Grund genug, sie nicht zu spielen.
Die Fronten nur gegenüberzustellen, den Abglanz möglichen Glücks und die satirische Verurteilung der bürgerlichen
Realität zu geben, ist nicht Wedekinds letztes Wort. Das
Drama endet auf einer Ebene, die die elegische Klage um
einen verlorenen Kindheitstraum vom ›natürlichen Leben‹,
aber auch die satirische Anklage überschreitet. Diese
Schlußszene ist die Schlüsselszene zu ›Frühlings Erwachen‹,
zur weltanschaulichen Haltung, aus der heraus die Kindertragödie entsteht, erschließt auch die künstlerische Eigenart
Wedekinds.
[...] Nicht zufällig wird das ›Leben‹ nicht als Naturwesen
personifiziert, es tritt als ›vermummter Herr‹ in hochelegan-
ter bürgerlicher Kleidung auf. Wedekind, der den vermummten Herrn selbst in Frack und Zylinder spielte, ist
sachlich genug, das reale Leben als das bürgerliche Leben zu
kennzeichnen. Dennoch verspricht der vermummte Herr,
dem Wedekind sein Drama widmet, eine mannigfaltige, in-
teressante Welt – aber nur für den, der stark genug zum
Leben ist, als Lebens-Kämpfer mit dem Dasein und mit dem
eigenen Zweifel fertig wird. Auf das Leben verzichten nur
Lebensschwache wie Moritz. Aber: wie ›die Erwachsenen‹,
die ›normalen‹ Bürger leben?
Die Szene gibt die Grundhaltung des Mannes Wedekind und
seines Werkes: Es bleibt keine andere Wahl als *ein Leben
trotz allem*. Wedekind ist zu sachlich, einen arkadischen Le-
benstraum des ›natürlichen Lebens‹ zu entwerfen. Die Szene
der Wendla Bergmann liegt im Raum der Kindheit, sie mag
wahr sein, aber sie erweist sich als Illusion, sobald die
Schwelle zum realen Leben überschritten wird, und das
Werk Wedekinds wird immer wieder das Scheitern donqui-
chottesker Illusionen gestalten. Wedekind ist zu sachlich,
um nicht die Übermacht der realen bürgerlichen Gesellschaft

über solche Ideale anzuerkennen – jedoch die einzige, die
gegenwärtige Bürger-Welt läßt sich erbärmlicher nicht denken. Sie bietet aber dem Trotzdem eine Chance: Sie ist ein
Schlachtfeld von Egoismen. Schon der junge Wedekind hat
[...] den Egoismus als menschlichen Grundtrieb, die davon
bestimmte Vereinzelung des Menschen empfunden, das Da-
sein als Daseinskampf. Melchior vermittelt Wedekinds
Überzeugung, wenn er behauptet, daß es ›keine Aufopfe-
rung‹, ›keine Selbstlosigkeit‹ gibt; ›... glaub mir, es gibt
keine Liebe! – Alles Eigennutz, alles Egoismus!‹ sagt er zu
Wendla, bevor die Welle des sexuellen Triebs über beiden
zusammenschlägt.

Aus dieser Umwertung üblicher Moral erhebt sich Wedekinds Trotzdem, seine Anerkennung und Bejahung des Lebens *wie es ist.* Das ›Leben‹ kann nicht als glücklich unge-
brochene Hingabe an eine schöne Harmonie alles Natürlichen verwirklicht werden. Mag [...] in einem utopischen
Zeitalter der ›großen Liebe‹ das ›egoistisch‹-freie Ausleben
der natürlichen Instinkte, des Sexus etwa, selbstverständlich
sein – in der gegenwärtigen Bürgergesellschaft erwartet die
Menschen-›Natur‹, die sich ausleben will, lebensgefährlicher
Kampf. In diesen Kämpfen aber, im vollen Ausleben des
›wilden schönen Tieres‹, von dem der ›Erdgeist‹-Prolog
spricht, ist selbst diesem Leben Reiz abzugewinnen. Weg
aber mit der lügnerischen ›Moral‹, die diesen nackten Exi-
stenzkampf verschleiert, Verachtung denen, die nach diesen
philisterhaften Verbrämungen ›leben‹ wollen. Wahre Moral,
Menschenwürde besteht darin, sich dieser unerbittlichen
Wahrheit des Lebens zu stellen und zu kämpfen. Das ist die
Haltung des Typus Mensch, den Wedekind ›Realist‹ nennt
und dem ideologieverfallenen ›Idealisten‹ gegenüberstellt.
Die Entgegensetzung dieser beiden Menschen-Typen – in
›Frühlings Erwachen‹ sind es Melchior und Moritz – wird
für jene Dramatik, die die Lebenskunst im Kapitalismus
erörtern will, zu einem zentralen Motiv.
›Frühlings Erwachen‹ verkündet die Grundideen dieser Le-
bensauffassung Wedekinds. Sowohl die elegische Klage über

den Untergang unschuldiger, reiner ›natürlicher‹ Menschlichkeit als auch der satirische Angriff gegen die von lebens- und wahrheitsfeindlichen Vorstellungen beherrschte bürgerliche ›Erwachsenen‹-Welt sind nur Aufbauelemente dieser Grundaussage. Nur die Interpretations- und Inszenierungsrichtungen von ›Frühlings Erwachen‹, die diese Grundtendenz ins Zentrum rücken, können beide Aufbauelemente voll ausschöpfen und einem höheren einheitlichen Blickpunkt zuordnen. [...] Das Tragische in ›Frühlings Erwachen‹ ist vielschichtiger: das Stück faßt die Tragik bürgerlicher Jugend, den immer erneuten Untergang ursprünglicher Ideale an der Wirklichkeit, aber auch, als Groteske geformt, die Tragik bürgerlicher Existenz schlechthin, als Leben nach menschenfeindlichen Normen; den Untergrund des Dramas aber bildet, wie heute erkennbar, die tragische, aber lebensnotwendige Illusion Wedekinds, wie dieses Leben zu überstehen sei.

Von Wedekinds Lebensauffassung aus ist der Zugang zu diesem Schriftsteller und zu diesem Werk mit seinen immer wiederkehrenden Themen, Motiven, Szenen und Figuren zu gewinnen. Wedekind war keine fraglos vitale Kraftnatur, er war ein Kämpfer aus genauer Überlegung, aus Einsicht in die Verhältnisse. War das Leben Kampf, so wollte er mit vollem Einsatz kämpfen, nur so war Menschenwürde zu behaupten.«

Hahn (Hrsg.): Frank Wedekind: Werke. Bd. 1:
Dramen 1. Berlin/Weimar: Aufbau-Verlag, 1969.
S. 14–18.

Alan Best sieht sowohl die junge als auch die ältere Generation in »Frühlings Erwachen« in dem Teufelskreis des bürgerlichen Lebens befangen:

»This play does not depict the young set against the old in terms of the innocent against the guilty, nor does Wedekind see right exclusively on the side of youth. The fate of the younger generation obliged to come to terms with a stultifying bourgeois morality in order to survive also reflects the vicious circle of bourgeois life. How could their parents have developed any other than they did, and what standards other than those which they apply, can they, in their turn, have learnt in their childhood? The inescapable fact that emerges from the montage that Wedekind presents is that it is impossible not to be affected by such an experience. The bourgeois tradition demands unquestioning acceptance and gets it, because its individual members have been drained of the capacity to think for themselves or to question the *status quo*. The adults cling to the social hierarchy, for only within this framework can they find a secure rôle that enables them to carry on, and if Wedekind presents them as caricatures rather than characters it is because their inability to think and act like full human beings may be more graphically expressed in that manner. In the eyes of the young, society seems ruled by self-interest. They can see no other motive force. In the grotesque scene which closes the play, Moritz Stiefel, driven to suicide by his own hypersensitivity and inadequacy, and the fear that he would let his parents down, steps out of his grave with his head under his arm and offers a bleak commentary on society to his friend Melchior:

> We watch parents putting children into the world so that they can say to them: ›How lucky you are to have parents like us!‹ – and we see the children grow up and do the same! (III,7; GW II,169)

Immediately after this discussion Melchior is taken away ›to life‹ by a mysterious masked gentleman. But, as Moritz's comment suggests, what chance has Melchior of breaking free?«

Best: Frank Wedekind. London: Wolff, 1975. (Modern German Authors. N. S. Bd. 4.) S. 64 f.

Jürgen Friedmann rechtfertigt Sprache und Charakterzeichnung in »Frühlings Erwachen« aus dem darin dargestellten Dualismus von »Natur« und »Gesellschaft«, glaubt aber gleichzeitig die Grenzen dieses »ästhetischen Systems« zu erkennen:

»Die Schwierigkeiten in ›Frühlings Erwachen‹ rühren von
dem das Drama konstituierenden Dualismus von ›Natur‹
und ›Gesellschaft‹ her. Zeitgenössisches Material muß auf
seine allgemeine Bedeutsamkeit hin durchsichtig gemacht
werden, wobei es Wedekind verhältnismäßig überzeugend
gelingt, den Pol ›Natur‹ symbolisch allegorisch über das
Kollektiv der Jugend auf der Bühne zu realisieren. Der Ge-
genpol ›Gesellschaft‹ in Form von Repräsentanten gesellschaftlicher Institutionen wie Eltern, Lehrer, Pfarrer können
nicht mit denselben Mitteln dargestellt werden.

Das Drama zerfällt in die ›wahre‹ Welt und Sprache der
Kinder und die der Gesellschaft. Die Welt der Gesellschaft
ragt zwar in Form von sprachlichen Klischees in die ›wahre‹
Welt und Sprache der Kinder hinein und relativiert deren
absoluten Anspruch, jedoch werden die Zitate der gesellschaftlichen Konvention und damit Unterdrückung gerade
durch den ›ursprünglichen‹, ›wahren‹ Ausdruck der ›Natur‹
als ›Unnatur‹ entlarvt. Diese ›wahre Natur‹ wird durch eine
symbolische, metaphorische Sprache und durch die symbolisch allegorische Konfiguration der Personen evoziert, worin Ilse z.B. die Stelle einer ›Personifikation ungebrochener
Lebenskraft‹ [Friedrich Rothe] einnimmt. Die Welt der Erwachsenen, die Gesellschaft, verfällt dagegen einer totalen
Kritik.

Während die Schülerszenen auf dem Gegensatz Natur gegen
Gesellschaft aufgebaut sind, schrumpfen die Lehrer zu reinen Karikaturen zusammen. [...] Schon die Namen machen
dies deutlich. Melchior Gabor erscheint vor dem Lehrerkollegium: Sonnenstich, Knüppeldick, Zungenschlag, Fliegentod usw. Die Wahrheit der Jugendlichen kann über ihre
individuelle Erscheinung dargestellt werden, d.h. der über-
persönliche, ›naturhafte‹ Sexualtrieb bleibt auch in seiner je-
weiligen individuellen Konkretisierung darstellbar, wobei
theoretisch jede beliebige Lebenssituation dieser Individuen
dafür tauglich ist. Dagegen mußte Wedekind für die Darstellung der Institution der Schule eine andere Methode wählen.
Aus der richtigen Einsicht heraus, daß die Schule nicht die

Summe der Lehrerindividuen ist, werden die Lehrer entindividualisiert. Sie sind Funktionen der Institution Schule; nur so wird die ›Wahrheit‹ der Gesellschaft darstellbar. Wedekind versucht das mit den traditionellen Mitteln der überzeichnenden Satire; indem er vom Ideal des ›wahren‹, ›ursprünglichen‹ großen Individuums ausgeht, entwirft er den Gegentypus und individualisiert ihn auf die Schule hin. So beruht auch die Darstellung der Lehrerkonferenz auf der intuitiven Erfahrung des ›wahren‹ Lebens in der Form seiner Negation. Jedoch kann hier der Anspruch auf Wahrheit nicht mehr symbolisch bekräftigt werden, wie z. B. bei Ilse, wenn sie ›eine Fülle frischer Anemonen auf den Sarg regnen‹ [51,4 f.] läßt, sondern diese ›Wahrheit‹ kann nur noch allegorisch repräsentiert werden. Die aus dem Zusammenhang bewußt herausgenommene Verhandlung, ob das Fenster und welches Fenster geöffnet werden soll [43 f.], ist solch eine Allegorie der ›Wahrheit‹ dieser Gesellschaft. Diese ›Wahrheit‹ ist nicht direkt erfahrbar und auch nicht direkt über individuelles Erleben vermittelt darstellbar. [...]

Deutlich wird dabei, daß die ›Kritik der bürgerlichen Gesellschaft‹ nicht erst mit dem Auftreten des Vermummten Herrn ›ihre Grenze ... erreicht‹, wie Rothe in seinem Aufsatz ›Zum Verhältnis von sexueller und sozialer Emanzipation bei Frank Wedekind‹ schreibt, sondern daß die Kritik und Darstellung der sexuellen Unterdrückung innerhalb der bürgerlichen Klasse von Anfang an in ihrer Bezogenheit auf eine ›naturhafte‹ Utopie ihre Grenze findet; d. h. ihre Grenze findet diese Kritik in der Unfähigkeit dieses ästhetischen Systems, gesellschaftliche Phänomene differenziert sichtbar zu machen.*«

Friedmann: Frank Wedekinds Dramen nach 1900. Eine Untersuchung zur Erkenntnisfunktion seiner Dramen. Stuttgart: Heinz, 1975. (Stuttgarter Arbeiten zur Germanistik. Nr. 2.) S. 21–23.

* Indem Rothe gesellschaftstheoretische Begriffe ihres Inhalts entleert, verschließt er sich den Zugang zum Verständnis des historischen Erfahrungshorizontes, innerhalb dessen ›Frühlings Erwachen‹ von den Funktionären der damaligen Arbeiterbewegung gelesen wurde. Rothe spricht von »Reproduktion

3. Nachahmungen und Anlehnungen

Als Kindertragödie machte »Frühlings Erwachen« schnell
Schule. 1893 folgte Max Halbes (1865–1944) »Liebesdrama«
»Jugend«, 1894 Gerhart Hauptmanns (1862–1944) »Han-
nele« (1896 u. d. T. »Hanneles Himmelfahrt«) und Henrik
Ibsens (1828–1906) »Klein Eyolf«, 1895 »Wie ein Strahl ver-
glimmt« von Kurt Martens (1870–1945). Aus den Jahren
1901/02 stammt die erste Fassung von Georg Kaisers
(1878–1945) Komödie »Der Fall des Schülers Vegesack«, die
1914 als Privatdruck überarbeitet erschien und mit einer satirischen Lehrerkonferenz im Stile von Wedekinds »Frühlings
Erwachen« beginnt. Die Kollegiumssitzung wirkte ebenso
auf Jakob Wassermanns (1873–1934) frühen Roman »Die
Juden von Zirndorf« (1897, Neufassung 1906). Auch schul-
kritische Prosa wie Emil Strauß' (1866–1960) »Freund Hein«
(entstanden 1899–1901, erschienen 1902) und Hermann
Hesses (1877–1962) Roman »Unterm Rad« (1906) sind
durch die Einführung des Themas in »Frühlings Erwachen«
angeregt worden.
Ein Teil der expressionistischen Dramatik, für die Selbstfin-
dungsprobleme des jungen Menschen, vor allem der Vater-
Sohn-Konflikt, im Mittelpunkt stand, ist von »Frühlings Erwachen« und anderen Dramen Wedekinds stark beeinflußt,
so Reinhard Johannes Sorges (1892–1916) »dramatische Sen-
dung« »Der Bettler« (1912), Walter Hasenclevers (1890 bis
1940) Drama »Der Sohn« (1914) und Hanns Johsts (geb.
1890) »ekstatisches Szenarium« »Der junge Mensch« (1916).
Als Beispiel für den Einfluß von »Frühlings Erwachen« sei
die 1. Szene des 5. Aktes aus Hasenclevers »Sohn« wieder-

der bürgerlichen Gesellschaft«, ohne dabei zu bedenken, daß diese Reproduktion erst auf Grund der Analyse der spezifisch deutschen Verhältnisse von
Lohnarbeit und Kapital um 1900 durchsichtig gemacht werden kann. Die Pro-
blemstellungen und Hoffnungen, die Darstellung sozialer Zusammenhänge
überhaupt, die Wedekinds Stil ermöglichten, mußten für Leute, die gegen die
drückende Armut, gegen Entwürdigung und Verdummung der Mehrzahl der
Bevölkerung kämpfte, trivial erscheinen. [...] Für die Arbeiterfunktionäre gab
es wichtigere Probleme als die sexuelle Unterdrückung von Bürgerkindern.

gegeben, die dem Gespräch zwischen Herrn und Frau Gabor (III,3) nachgebildet ist. An die Stelle der Frau Gabor ist hier jedoch ein anderer Vater getreten, ein Polizeikommissar, der verständnisvoll zuhört und vorsichtig widerspricht:

Wenige Stunden später.

Das Sprechzimmer des Vaters im elterlichen Hause. Ein langer Raum; in der Mittelwand rechts und links eine Türe, an den Seitenwänden je eine. Links steht der Tisch des Vaters mit Büchern, Telephon; davor Sessel mit Holzlehne. An der Mittelwand Glasschränke mit ärztlichen Utensilien, rechts ein Untersuchungstisch, aufklappbar. An der rechten Seitenwand der Bücherschrank. Davor, gegenüber dem Arbeitstisch des Vaters, ein kleinerer Tisch mit Stühlen. An der Wand die Rembrandtsche Anatomie.

Der Vater. Der Kommissar.

Der Vater. Ich danke Ihnen, Herr Kommissar. – Hat mein Sohn sich zur Wehr gesetzt?

Der Kommissar. Der junge Mann war ganz ruhig. Wir hatten erwartet, einen Rasenden zu finden. Statt dessen trafen wir zwei Herren im Gespräch. Ein Anlaß, Gewalt anzuwenden, lag nicht vor. Trotzdem haben wir auf Ihren Wunsch die Hände gefesselt. Auch die Fahrt hierher verlief in voller Ruhe.
Vielleicht, Herr Geheimrat, war die Maßregel etwas zu strenge. Ich als alter Menschenkenner habe nur mit Bedauern das Zwangsmittel ergriffen. Vielleicht ist es in Güte möglich, den jungen Mann auf die rechte Bahn zu führen. Ich bin überzeugt, er ist kein schlechter Mensch. Es gibt schlimmere Sorte!

Der Vater. Herr Kommissar, ich habe ihn zwanzig Jahre beobachtet. Ich bin sein Vater, außerdem bin ich Arzt. Ich muß es wissen.

Der Kommissar. Verzeihung, Herr Geheimrat, ich wollte keineswegs ...

Der Vater. Im Gegenteil: ich bitte um Ihr Urteil! Sie sind

sicher ein erfahrener Mann, doch betrachten Sie die Dinge
unter Ihrem Winkel. Ich glaube, ich täusche mich nicht.
Ich habe reiflich überlegt, bevor ich mich entschlossen
habe. Es ist keine Güte mehr möglich! Nur die äußerste
Strenge kann ihn noch bessern. Dieser Junge ist verdorben
bis auf den Grund seines Charakters. Er will sich meinem
Willen entziehen – das darf unter keinen Umständen geschehn. Sie haben seine Reden nicht gehört! Die Jugend
von heute läuft ja Sturm gegen alle Autorität und gute
Sitten. Seien Sie froh, daß Sie nicht einen solchen Sohn
haben.

Der Kommissar. Herr Geheimrat: ich *habe* Söhne. Und
ich liebe sie! Ich könnte den Fluch der Schändung nicht
auf ihr Haupt rufen. Ich kenne die furchtbare Tragödie zu
sehr! Wir haben mit Tieren und Verbrechern zu tun. Bevor ich mein eignes Blut in diesen Abgrund stoße, lieber
lebe ich nicht mehr. Selbst bei jugendlichen Kriminellen
kennen wir vor dem Gesetz noch Verweise und Strafauf-
schub. Was hat Ihr Junge denn Schlimmes getan? Hat er
geraubt, gefälscht, gemordet? Das sind die Kreaturen, mit
denen wir rechnen müssen; das ist die Gesellschaft, in die
Sie ihn treiben. Verzeihn Sie mir noch ein offenes Wort:
Sie brandmarken ihn für sein Leben. Sie stempeln ihn mit
der Marke des Gerichts. Er hat einen kleinen Ausflug gegen Ihren Willen unternommen ...

Der Vater *(lacht höhnisch)*. Einen kleinen Ausflug!!

Der Kommissar. Sie sind im Recht und werden ihn stra-
fen. Aber rechtfertigt das eine Erniedrigung? Ich fürchte,
die Fesseln sind nicht mehr gut zu machen. Herr Geheimrat – es kann ein Unglück geben!

Der Vater. Er hat mir den Gehorsam verweigert; es ist
nicht das erstemal. Wenn er, der doch mein Sohn ist,
schimpflich mein Haus verläßt – was kann ich anders
tun, als ihn meine Macht fühlen lassen! Ich bin sonst der Ent-
ehrte. Was wird man vor mir denken? Wie wird man mich
ansehn! Ich *muß*, wenn kein Mittel mehr hilft, zu diesem
letzten greifen. Das schulde ich meiner Pflicht gegen mich

– und gegen ihn. Ich glaube noch, ich *kann* ihn bessern. Er ist jung: dies sei ihm eine Warnung für sein ganzes Leben.

Herr Kommissar, Sie sind mir ein Fremder. Trotzdem habe ich Ihnen mehr gesagt, wie je einem Menschen. Bitte, vertrauen Sie mir. Alles lastet ja auf mir in dieser Stunde – ich will nur das Beste nach meinem Gewissen. Aber das darf ich nicht auf mir sitzen lassen! Sie sind selber Vater. Was täten Sie an meiner Stelle?

Der Kommissar. Ein Wesen aus meinem Geschlecht, das in meinem Leben entsprungen ist, kann nicht verworfen sein. Das ist für mich das höchste Gesetz! Auch wir altern. Weshalb soll unser Sohn nicht jung sein?

Der Vater. Und wenn er Sie beleidigt?

Der Kommissar. Mein Sohn ist doch ärmer und schwächer als ich. Wie kann er mich beleidigen!

Der Vater. Herr Kommissar, ich bin aktiv gewesen; ich habe für meine Ehre mit dem Säbel gefochten. Ich trage noch die Spuren, *(er weist auf eine Narbe in seiner Wange)*: ich muß mein Haus rein halten. Ich kann mich auch von meinem Kinde nicht ungestraft beschimpfen lassen. Außerdem erachte ich die Verantwortung des Erziehers zu hoch, sich einem Zwanzigjährigen gleich zu machen.

Der Kommissar. Ich fürchte, wir reden einander vorbei. Ich habe auch in meiner Jugend gefochten. Aber die Zahl der Semester und Mensuren erscheint mir kein Maßstab. Unsere Söhne verlangen, daß wir ihnen helfen. Herr Geheimrat: *Das müssen wir tun.* Ob sie besser sind oder schlechter als wir, ist eine Frage der Zeit – nicht des Herzens.

Der Vater. Ich bin bestürzt – verzeihn auch Sie mir die Offenheit in einer ernsten Stunde. Wie kann ein Vater, wie kann ein Beamter so reden! Unsre jungen Leute werden schlimmer und verderbter von Tag zu Tag. Das ist notorisch! Und dieser Fäulnis im kaum erwachsenen Menschen soll man nicht steuern!? Ich halte es für meine heiligste Pflicht gegen die Verirrung zu kämpfen, und ich

werde es tun, solange ich atme. In welcher Zeit leben wir
denn? Hier lesen Sie in der Zeitung, wie weit es schon
gekommen ist! *(Er nimmt das Blatt und weist auf die
Stelle.)* Gestern hat in einer geheimen Versammlung ein
Unbekannter gegen die Väter *gepredigt.* Das kann nur ein
Wahnsinniger sein!! Aber das Gift hören Tausende und
saugen es gierig. Weshalb schreitet die Polizei nicht ein?
Diese Bürschchen sind staatsgefährlich. Hinter Schloß
und Riegel mit allen Verführern; sie sind der Auswurf der
Menschheit.

Der Kommissar *(mit einem Blick in die Zeitung).* Diese
Versammlung war der Polizei bekannt. Es ist ein Klub
junger Leute. Er steht unter dem Protektorate einer hohen
Persönlichkeit ...

Der Vater. Auch das noch! Dann haben wir ja bald die
Anarchie.

Der Kommissar. Ich kann Sie über diesen Vortrag beruhi-
gen. Er war nur gegen die unmoralischen Väter gerichtet.

Der Vater *(höhnisch).* Also gegen die Unmoralischen. Und
die Regierung unterstützt das Treiben? Um so mehr ist
es unsere Pflicht, sich gegen den Verrat in der eigenen Familie zu schützen. Nein, Herr Kommissar, die äußerste
Strenge. Die äußerste Strenge!

Der Kommissar. Wir sind die Leute des Gerichts. Wieviel
Verdammnis sehn wir! Glauben Sie mir, ich will keinen
Unschuldigen henken, geschweige denn meinen eigenen
Sohn. Und wenn er mir tausendfach Unrecht tut – ich bin
doch sein Vater! Soll er andere mehr lieben als mich? Wir
Väter müssen erst unsre Söhne erringen, ehe wir wissen,
was sie sind.

Der Vater. Sie scheinen unter Söhnen etwas Absonderli-
ches zu verstehn.

Der Kommissar *(bescheiden).* Ich verstehe darunter ein
Wesen, das mir geschenkt ist, dem ich dienen muß.

Der Vater *(erhebt sich).* Herr Kommissar – wie gesagt: Ich
danke Ihnen. Auch ich kenne meine Pflicht als Vater, allerdings in einem andern Sinne. Ich wünsche Ihnen keine

Enttäuschungen! Ich werde es versuchen, selbst in diesem Falle noch, mit meinem Sohne in Güte zu reden – solange ich das vermag. Mehr kann ich nicht sagen. Ich bitte, führen Sie ihn mir jetzt zu.

Der Kommissar. Ich werde Ihrem Sohne die Fesseln abnehmen. Er wird den Weg zu Ihnen allein finden. *(Er verbeugt sich und geht. Der Vater setzt sich in den Stuhl links an seinen Tisch.)*

Hasenclever: Der Sohn. Ein Drama in fünf Akten. Leipzig: Kurt Wolff, 1914. S. 70–73. © Rowohlt Taschenbuch Verlag GmbH, Reinbek bei Hamburg.

VI. Texte zur Diskussion

1. Stefan Zweig: »Die Welt von gestern«

In seiner Autobiographie »Die Welt von gestern. Erinnerungen eines Europäers« (1942) setzt sich Stefan Zweig (1881–1942) ebenfalls mit den Themen Schule und Eros in der Zeit vor dem Ersten Weltkrieg auseinander. Obwohl er sich auf die Verhältnisse des wohlhabenden Wiener Bürgertums bezieht, sind seine Aussagen in vieler Hinsicht auf die Schweiz und Deutschland übertragbar:

Die Schule im vorigen Jahrhundert

Daß ich nach der Volksschule auf das Gymnasium gesandt wurde, war nur eine Selbstverständlichkeit. Man hielt in jeder begüterten Familie schon um des Gesellschaftlichen willen sorglich darauf, ›gebildete‹ Söhne zu haben; man ließ sie Französisch und Englisch lernen, machte sie mit Musik vertraut, hielt ihnen zuerst Gouvernanten und dann Hauslehrer für gute Manieren. Aber nur die sogenannte ›akademische‹ Bildung, die zur Universität führte, verlieh in jenen Zeiten des ›aufgeklärten‹ Liberalismus vollen Wert; darum gehörte es zum Ehrgeiz jeder ›guten‹ Familie, daß wenigstens einer ihrer Söhne vor dem Namen irgendeinen Doktortitel trug. Dieser Weg bis zur Universität war nun ziemlich lang und keineswegs rosig. Fünf Jahre Volksschule und acht Jahre Gymnasium mußten auf hölzerner Bank durchgesessen werden, täglich fünf bis sechs Stunden, und in der freien Zeit die Schulaufgaben bewältigt und überdies noch, was die ›allgemeine Bildung‹ forderte neben der Schule, Französisch, Englisch, Italienisch, die ›lebendigen‹ Sprachen neben den klassischen Griechisch und Latein – also fünf Sprachen zu Geometrie und Physik und den übrigen Schulgegenständen. Es war mehr als zuviel und ließ für körperliche Entwicklung, für Sport und Spaziergänge fast keinen Raum und vor allem nicht für Frohsinn und Vergnügen. Dunkel erinnere ich mich, daß wir als Siebenjährige irgendein Lied von der ›fröhlichen, seligen Kinderzeit‹ auswendig lernen und im Chor singen mußten. Ich habe die Melodie dieses einfach-einfältigen Liedchens noch im Ohr, aber sein Text ist mir schon damals schwer über die Lippen gegangen und noch weniger als Überzeugung ins Herz gedrungen. Denn meine ganze Schulzeit war, wenn ich ehrlich sein soll, nichts als ein ständiger gelangweilter Überdruß, von Jahr zu Jahr gesteigert durch die Ungeduld, dieser Tretmühle zu entkommen. Ich kann mich nicht besinnen, je ›fröhlich‹ noch ›selig‹ innerhalb jenes monotonen, herzlosen und geistlosen Schulbetriebs gewesen zu sein, der uns die schönste, freieste Epoche des Daseins gründlich vergällte, und ich gestehe sogar, ich kann heute noch eines gewissen Neides nicht erwehren zu können, wenn ich sehe, um wieviel glücklicher, freier, selbständiger sich in diesem Jahrhundert die Kindheit entfalten kann. Noch immer kommt es mir unwahrscheinlich vor, wenn ich beobachte, wie heute Kinder unbefangen und fast au pair mit ihren Lehrern plaudern, wie sie angstlos statt wie wir mit einem ständigen Unzulänglichkeitsgefühl zur Schule eilen, wie sie ihre Wünsche, ihre Neigungen aus junger, neugieriger Seele in Schule und Haus offen bekennen dürfen – freie, selbständige, natürliche Wesen, indes wir, kaum daß wir das verhaßte Haus betraten, uns gleichsam in uns hineinducken mußten, um nicht mit der Stirn gegen das unsichtbare Joch zu stoßen. Schule war für uns Zwang, Öde, Langeweile, eine Stätte, in der man die ›Wissenschaft des nicht Wissenswerten‹ in genau abgeteilten Portionen sich einzuverleiben hatte, scholastische oder scholastisch gemachte Materien, von denen wir fühlten, daß sie auf das reale und auf unser persönliches Interesse keinerlei Bezug haben konnten. Es war ein stumpfes, ödes Lernen nicht um des Lebens willen, sondern um des Lernens willen, das uns die alte Pädagogik aufzwang. Und der einzige wirklich beschwingte Glücksmoment, den ich der Schule zu danken habe, wurde der Tag, da ich ihre Tür für immer hinter mir zuschlug.

Nicht daß unsere österreichischen Schulen an sich schlecht
gewesen wären. Im Gegenteil, der sogenannte ›Lehrplan‹
war nach hundertjähriger Erfahrung sorgsam ausgearbeitet
und hätte, wenn anregend übermittelt, eine fruchtbare und
ziemlich universale Bildung fundieren können. Aber eben
durch die akkurate Planhaftigkeit und ihre trockene Schema-
tisierung wurden unsere Schulstunden grauenhaft dürr und
unlebendig, ein kalter Lernapparat, der sich nie an dem Individuum regulierte und nur wie ein Automat mit Ziffern ›gut,
genügend, ungenügend‹ aufzeigte, wie weit man den ›Anforderungen‹ des Lehrplans entsprochen hatte. Gerade aber
diese menschliche Lieblosigkeit, diese nüchterne Unpersön-
lichkeit und das Kasernenhafte des Umgangs war es, was uns
unbewußt erbitterte. Wir hatten unser Pensum zu lernen
und wurden geprüft, was wir gelernt hatten; kein Lehrer
fragte ein einziges Mal in acht Jahren, was wir persönlich zu
lernen begehrten, und just jener fördernde Anschwung, nach
dem jeder junge Mensch sich doch heimlich sehnt, blieb vollkommen aus. [...]
Auch unsere Lehrer hatten an der Trostlosigkeit jenes Be-
triebes keine Schuld. Sie waren weder gut noch böse, keine
Tyrannen und anderseits keine hilfreichen Kameraden, sondern arme Teufel, die, sklavisch an das Schema, an den be-
hördlich vorgeschriebenen Lehrplan gebunden, ihr ›Pensum‹
zu erledigen hatten wie wir das unsere und – das fühlten wir
deutlich – ebenso glücklich waren wie wir selbst, wenn mit-
tags die Schulglocke scholl, die ihnen und uns die Freiheit
gab. Sie liebten uns nicht, sie haßten uns nicht, und warum
auch, denn sie wußten von uns nichts; noch nach ein paar
Jahren kannten sie die wenigsten von uns mit Namen, nichts
anderes hatte im Sinn der damaligen Lehrmethode sie zu
bekümmern als festzustellen, wie viele Fehler ›der Schüler‹ in
der letzten Aufgabe gemacht hatte. Sie saßen oben auf dem
Katheder und wir unten, sie fragten, und wir mußten ant-
worten, sonst gab es zwischen uns keinen Zusammenhang.
Denn zwischen Lehrer und Schüler, zwischen Katheder und
Schulbank, dem sichtbaren Oben und sichtbaren Unten

stand die unsichtbare Barriere der ›Autorität‹, die jeden Kontakt verhinderte. Daß ein Lehrer den Schüler als ein Individuum zu betrachten hatte, das besonderes Eingehen auf seine besonderen Eigenschaften forderte, oder daß gar, wie es heute selbstverständlich ist, er ›reports‹, also beobachtende Beschreibungen über ihn zu verfassen hatte, würde damals seine Befugnisse wie seine Befähigung weit überschritten, anderseits ein privates Gespräch wieder seine Autorität gemindert haben, weil dies uns als ›Schüler‹ zu sehr auf eine Ebene mit ihm, dem ›Vorgesetzten‹ gestellt hätte. Nichts ist mir charakteristischer für die totale Zusammenhanglosigkeit, die geistig und seelisch zwischen uns und unseren Lehrern bestand, als daß ich alle ihre Namen und Gesichter vergessen habe. Mit photographischer Schärfe bewahrt mein Gedächtnis noch das Bild des Katheders und des Klassenbuchs, in das wir immer zu schielen suchten, weil es unsere Noten enthielt; ich sehe das kleine rote Notizbuch, in dem sie die Klassifizierungen zunächst vermerkten, und den kurzen schwarzen Bleistift, der die Ziffern eintrug, ich sehe meine eigenen Hefte, übersät mit den Korrekturen des Lehrers in roter Tinte, aber ich sehe kein einziges Gesicht von all ihnen mehr vor mir – vielleicht weil wir immer mit geduckten oder gleichgültigen Augen vor ihnen gestanden.

Dieses Mißvergnügen an der Schule war nicht etwa eine persönliche Einstellung; ich kann mich an keinen meiner Kameraden erinnern, der nicht mit Widerwillen gespürt hätte, daß unsere besten Interessen und Absichten in dieser Tretmühle gehemmt, gelangweilt und unterdrückt wurden. Aber viel später erst wurde mir bewußt, daß diese lieblose und seelenlose Methode unserer Jugenderziehung nicht etwa der Nachlässigkeit der staatlichen Instanzen zur Last fiel, sondern daß sich darin eine bestimmte, allerdings sorgfältig geheimgehaltene Absicht aussprach. Die Welt vor uns oder über uns, die alle ihre Gedanken einzig auf den Fetisch der Sicherheit einstellte, liebte die Jugend nicht oder vielmehr: sie hatte ein ständiges Mißtrauen gegen sie. Eitel auf ihren systematischen ›Fortschritt‹, auf ihre Ordnung, proklamierte

die bürgerliche Gesellschaft Mäßigkeit und Gemächlichkeit
in allen Lebensformen als die einzig wirksame Tugend des
Menschen; jede Eile uns vorwärts zu führen sollte vermieden
werden. Österreich war ein alter Staat, von einem greisen
Kaiser beherrscht, von alten Ministern regiert, ein Staat, der
ohne Ambition einzig hoffte, sich durch Abwehr aller radi-
kalen Veränderungen im europäischen Raume unversehrt zu
erhalten; junge Menschen, die ja aus Instinkt immer schnelle
und radikale Veränderungen wollen, galten deshalb als ein
bedenkliches Element, das möglichst lange ausgeschaltet
oder niedergehalten werden mußte. So hatte man keinen Anlaß, uns die Schuljahre angenehm zu machen; wir sollten
jede Form des Aufstiegs erst durch geduldiges Warten uns
verdienen. [...] Alles, was uns heute als beneidenswerter
Besitz erscheint, die Frische, das Selbstbewußtsein, die Ver-
wegenheit, die Neugier, die Lebenslust der Jugend, galt jener
Zeit, die nur Sinn für das ›Solide‹ hatte, als verdächtig.
Einzig aus dieser sonderbaren Einstellung ist es zu verstehen, daß der Staat die Schule als Instrument zur Aufrecht-
erhaltung seiner Autorität ausbeutete. Wir sollten vor allem
erzogen werden, überall das Bestehende als das Vollkom-
mene zu respektieren, die Meinung des Lehrers als unfehl-
bar, das Wort des Vaters als unwidersprechlich, die Einrichtungen des Staates als die absolut und in alle Ewigkeit gültigen. Ein zweiter kardinaler Grundsatz jener Pädagogik, den
man auch innerhalb der Familie handhabe, ging dahin, daß
junge Leute es nicht zu bequem haben sollten. Ehe man
ihnen irgendwelche Rechte zubilligte, sollten sie lernen, daß
sie Pflichten hatten und vor allem die Pflicht vollkommener
Fügsamkeit. Von Anfang an sollte uns eingeprägt werden,
daß wir, die wir im Leben noch nichts geleistet hatten und
keinerlei Erfahrung besaßen, einzig dankbar zu sein hatten
für alles, was man uns gewährte, und keinen Anspruch, etwas zu fragen oder zu fordern. Von frühester Kindheit an
wurde in meiner Zeit diese stupide Methode der Einschüch-
terung geübt. Dienstmädchen und dumme Mütter er-
schreckten schon dreijährige und vierjährige Kinder, sie

würden den ›Polizeimann‹ holen, wenn sie nicht sofort auf-
hörten, schlimm zu sein. Noch als Gymnasiasten wurde uns,
wenn wir eine schlechte Note in irgendeinem nebensächli-
chen Gegenstand nach Hause brachten, gedroht, man werde
uns aus der Schule nehmen und ein Handwerk lernen lassen
– die schlimmste Drohung, die es in der bürgerlichen Welt
gab: der Rückfall ins Proletariat –, und wenn junge Menschen im ehrlichsten Bildungsverlangen bei Erwachsenen
Aufklärung über ernste zeitliche Probleme suchten, wurden
sie abgekanzelt mit dem hochmütigen »Das verstehst du
noch nicht«. An allen Stellen übte man diese Technik, im
Hause, in der Schule und im Staate. Man wurde nicht müde,
dem jungen Menschen einzuschärfen, daß er noch nicht ›reif‹
sei, daß er nichts verstünde, daß er einzig gläubig zuzuhören
habe, nie aber selbst mitsprechen oder gar widersprechen
dürfe. Aus diesem Grunde sollte auch in der Schule der arme
Teufel von Lehrer, der oben am Katheder saß, ein unnahba-
rer Ölgötze bleiben und unser ganzes Fühlen und Trachten
auf den ›Lehrplan‹ beschränken. Ob wir uns in der Schule
wohlfühlten oder nicht, war ohne Belang. Ihre wahre Mis-
sion im Sinne der Zeit war nicht so sehr, uns vorwärtszu-
bringen als uns zurückzuhalten, nicht uns innerlich auszu-
formen, sondern dem geordneten Gefüge möglichst wider-
standslos einzupassen, nicht unsere Energie zu steigern,
sondern sie zu disziplinieren und zu nivellieren. [...]

Eros matutinus[1]

Während dieser acht Jahre der höheren Schule ereignete sich
für jeden von uns ein höchst persönliches Faktum: wir wurden aus zehnjährigen Kindern allmählich sechzehnjährige,
siebzehnjährige, achtzehnjährige mannbare junge Menschen,
und die Natur begann ihre Rechte anzumelden. Dieses Erwachen der Pubertät scheint nun ein durchaus privates Problem, das jeder heranwachsende Mensch auf seine eigene

1 (lat.) Eros am Morgen; übertr. ›am Anfang des Lebens‹, also der Jugend.

Weise mit sich auszukämpfen hat, und für den ersten Blick
keineswegs zu öffentlicher Erörterung geeignet. Für unsere
Generation aber wuchs jene Krise über ihre eigentliche
Sphäre hinaus. Sie zeitigte zugleich ein Erwachen in einem
anderen Sinne, denn sie lehrte uns zum erstenmal jene gesellschaftliche Welt, in der wir aufgewachsen waren, und ihre
Konventionen mit kritischerem Sinn zu beobachten. Kinder
und selbst junge Leute sind im allgemeinen geneigt, sich
zunächst den Gesetzen ihres Milieus respektvoll anzupassen.
Aber sie unterwerfen sich den ihnen anbefohlenen Konventionen nur insolange, als sie sehen, daß diese auch von allen
andern ehrlich innegehalten werden. Eine einzige Unwahr-
haftigkeit bei Lehrern oder Eltern treibt den jungen Menschen unvermeidlich an, seine ganze Umwelt mit mißtraui-
schem und damit schärferem Blick zu betrachten. Und wir
brauchten nicht lange, um zu entdecken, daß alle jene Auto-
ritäten, denen wir bisher Vertrauen geschenkt, daß Schule,
Familie und die öffentliche Moral in diesem einen Punkte
der Sexualität sich merkwürdig unaufrichtig gebärdeten –
und sogar mehr noch: daß sie auch von uns in diesem Be-
lange Heimlichkeit und Hinterhältigkeit forderten.
Denn man dachte anders über diese Dinge vor dreißig und
vierzig Jahren als in unserer heutigen Welt. Vielleicht auf
keinem Gebiete des öffentlichen Lebens hat sich durch eine
Reihe von Faktoren – die Emanzipation der Frau, die Freud-
sche Psychoanalyse, den sportlichen Körperkult, die Verselbständigung der Jugend – innerhalb eines einzigen Men-
schenalters eine so totale Verwandlung vollzogen wie in den
Beziehungen der Geschlechter zueinander. Versucht man
den Unterschied der bürgerlichen Moral des neunzehnten
Jahrhunderts, die im wesentlichen eine victorianische war,
gegenüber den heute gültigen, freieren und unbefangeneren
Anschauungen zu formulieren, so kommt man der Sachlage
vielleicht am nächsten, wenn man sagt, daß jene Epoche dem
Problem der Sexualität aus dem Gefühl einer inneren Unsicherheit ängstlich auswich. [...] Unser Jahrhundert empfand die Sexualität als ein anarchisches und darum störendes

Element, das sich nicht in ihre Ethik eingliedern ließ, und das man nicht am lichten Tage schalten lassen dürfe, weil jede Form einer freien, einer außerehelichen Liebe dem bürgerlichen ›Anstand‹ widersprach. In diesem Zwiespalt erfand nun jene Zeit ein sonderbares Kompromiß. Sie beschränkte ihre Moral darauf, dem jungen Menschen zwar nicht zu verbieten, seine vita sexualis auszuüben, aber sie forderte, daß er diese peinliche Angelegenheit in irgendeiner unauffälligen Weise erledigte. War die Sexualität schon nicht aus der Welt zu schaffen, so sollte sie wenigstens innerhalb ihrer Welt der Sitte nicht sichtbar sein. Es wurde also die stillschweigende Vereinbarung getroffen, den ganzen ärgerlichen Komplex weder in der Schule, noch in der Familie, noch in der Öffentlichkeit zu erörtern und alles zu unterdrücken, was an sein Vorhandensein erinnern könnte.

Für uns, die wir seit Freud wissen, daß, wer natürliche Triebe aus dem Bewußtsein zu verdrängen sucht, sie damit keineswegs beseitigt, sondern nur ins Unterbewußtsein gefährlich verschiebt, ist es leicht, heute über die Unbelehrtheit jener naiven Verheimlichungstechnik zu lächeln. Aber das neunzehnte Jahrhundert war redlich in dem Wahn befangen, man könne mit rationalistischer Vernunft alle Konflikte lösen, und je mehr man das Natürliche verstecke, desto mehr temperiere man seine anarchischen Kräfte; wenn man also junge Leute durch nichts über ihr Vorhandensein aufkläre, würden sie ihre eigene Sexualität vergessen. In diesem Wahn, durch Ignorieren zu temperieren, vereinten sich alle Instanzen zu einem gemeinsamen Boykott durch hermetisches Schweigen. Schule und kirchliche Seelsorge, Salon und Justiz, Zeitung und Buch, Mode und Sitte vermieden prinzipiell jedwede Erwähnung des Problems, und schmählicherweise schloß sich sogar die Wissenschaft, deren eigentliche Aufgabe es doch sein sollte, an alle Probleme gleich unbefangen heranzutreten, diesem ›naturalia sunt turpia²‹ an. Auch sie kapitulierte unter dem Vorwand, es sei unter der Würde

---

2 (lat.) Natürliche Dinge sind unanständig, häßlich.

der Wissenschaft, solche skabröse Themen zu behandeln.
[...] Während in früheren Jahrhunderten der Schriftsteller
sich nicht scheute, ein ehrliches und umfassendes Kulturbild
seiner Zeit zu geben, während man bei Defoe, bei Abbé
Prévost, bei Fielding und Rétif de la Bretonne noch unver-
fälschten Schilderungen der wirklichen Zustände begegnet,
meinte jene Epoche nur das ›Gefühlvolle‹ und das ›Erha-
bene‹ zeigen zu dürfen, nicht aber auch das Peinliche und
das Wahre. Von allen Fährnissen, Dunkelheiten, Verwirrun-
gen der Großstadtjugend findet man darum in der Literatur
des neunzehnten Jahrhunderts kaum einen flüchtigen Nie-
derschlag. Selbst wenn ein Schriftsteller kühn die Prostitution erwähnte, so glaubte er sie veredeln zu müssen und
parfümierte die Heldin zur ›Kameliendame‹. Wir stehen also
vor der sonderbaren Tatsache, daß, wenn ein junger Mensch
von heute, um zu wissen, wie die Jugend der vorigen und
vorvorigen Generation sich durchs Leben kämpfte, die Ro-
mane auch der größten Meister jener Zeit aufschlägt, die
Werke von Dickens und Thackeray, Gottfried Keller und
Björnson, er – außer bei Tolstoi und Dostojewski, die als
Russen jenseits des europäischen Pseudo-Idealismus standen – ausschließlich sublimierte und temperierte Begebnisse
dargestellt findet, weil diese ganze Generation durch den
Druck der Zeit in ihrer freien Aussage gehemmt war. [...]
Aber in dieser ungesund stickigen, mit parfümierter Schwüle
durchsättigten Luft sind wir aufgewachsen. Diese unehrliche
und unpsychologische Moral des Verschweigens und Ver-
steckens war es, die wie ein Alp auf unserer Jugend gelastet
hat, und da die richtigen literarischen und kulturgeschicht-
lichen Dokumente dank dieser solidarischen Verschweige-
technik fehlen, mag es nicht leicht sein, das schon unglaub-
würdig Gewordene zu rekonstruieren. [...] Und nun denke
man sich junge Menschen, die in einer solchen Zeit wachen
Blicks heranwuchsen, und wie lächerlich ihnen diese Ängste
um den ewig bedrohten Anstand erscheinen mußten, sobald
sie einmal erkannt hatten, daß das sittliche Mäntelchen, das
man geheimnisvoll um diese Dinge hängen wollte, doch

höchst fadenscheinig und voller Risse und Löcher war.
Schließlich ließ es sich doch nicht vermeiden, daß einer von
den fünfzig Gymnasiasten seinen Professor in einer jener
dunklen Gassen traf, oder man im Familienkreise erlauschte,
dieser oder jener, der vor uns besonders hochachtbar tat,
habe verschiedene Sündenfälle auf dem Kerbholz. In Wirklichkeit steigerte und verschwülte nichts unsere Neugier dermaßen wie jene ungeschickte Technik des Verbergens; und
da man dem Natürlichen nicht frei und offen seinen Lauf
lassen wollte, schuf sich die Neugier in einer Großstadt ihre
unterirdischen und meist nicht sehr sauberen Abflüsse. In
allen Ständen spürte man durch diese Unterdrückung bei der
Jugend eine unterirdische Überreizung, die sich in kindi-
scher und hilfloser Art auswirkte. Kaum fand sich ein Zaun
oder ein verschwiegenes Gelaß, das nicht mit unanständigen Worten und Zeichnungen beschmiert war, kaum ein
Schwimmbad, in dem die Holzwände zum Damenbad nicht
von sogenannten Astlochguckern durchbohrt waren. Ganze
Industrien, die heute durch die Vernatürlichung der Sitten
längst zugrundegegangen sind, standen in heimlicher Blüte,
vor allem die jener Akt- und Nacktphotographien, die in
jedem Wirtshaus Hausierer unter dem Tisch den halbwüchs-
sigen Burschen anboten. Oder die der pornographischen Literatur ›sous le manteau‹[3] – da die ernste Literatur zwangs-
weise idealistisch und vorsichtig sein mußte – Bücher aller-
schlimmster Sorte, auf schlechtem Papier gedruckt, in
schlechter Sprache geschrieben und doch reißenden Absatz
findend, sowie Zeitschriften ›pikanter Art‹, wie sie ähnlich
widerlich und lüstern heute nicht mehr zu finden sind. Neben dem Hoftheater, das dem Zeitideal mit all seinem Edel-
sinn und seiner schneeweißen Reinheit zu dienen hatte, gab
es Theater und Kabaretts, die ausschließlich der ordinärsten
Zote dienten; überall schuf sich das Gehemmte Abwege,
Umwege und Auswege. So war im letzten Grunde jene Generation, der man jede Aufklärung und jedes unbefangene

---

3 (frz.) unter dem (Deck-)Mantel.

Beisammensein mit dem anderen Geschlecht prüde unter-
sagte, tausendmal erotischer disponiert als die Jugend von
heute mit ihrer höheren Liebesfreiheit. Denn nur das Ver-
sagte beschäftigt das Gelüst, nur das Verbotene irritiert das
Verlangen, und je weniger die Augen zu sehen, die Ohren zu
hören bekamen, um so mehr träumten die Gedanken. Je
weniger Luft, Licht und Sonne man an den Körper heran-
ließ, um so mehr verschwülten sich die Sinne. In summa hat
jener gesellschaftliche Druck auf unsere Jugend statt einer
höheren Sittlichkeit nur Mißtrauen und Erbitterung in uns
gegen alle diese Instanzen gezeitigt. Vom ersten Tag unseres
Erwachens fühlten wir instinktiv, daß mit ihrem Verschwei-
gen und Verdecken diese unehrliche Moral uns etwas nehmen wollte, was rechtens unserem Alter zugehörte und daß
sie unseren Willen zur Ehrlichkeit aufopferte einer längst
unwahr gewordenen Konvention.

Diese ›gesellschaftliche Moral‹, die einerseits das Vorhandensein der Sexualität und ihren natürlichen Ablauf privatim
voraussetzte, anderseits öffentlich um keinen Preis anerken-
nen wollte, war aber sogar doppelt verlogen. Denn während
sie bei jungen Männern ein Auge zukniff und sie mit dem
andern sogar zwinkernd ermutigte, ›sich die Hörner abzu-
laufen‹, wie man in dem gutmütig spottenden Familienjar-
gon jener Zeit sagte, schloß sie gegenüber der Frau ängstlich
beide Augen und stellte sich blind. Daß ein Mann Triebe
empfinde und empfinden dürfe, mußte sogar die Konvention stillschweigend zugeben. Daß aber eine Frau gleichfalls
ihnen unterworfen sein könne, daß die Schöpfung zu ihren
ewigen Zwecken auch einer weiblichen Polarität bedürfe,
dies ehrlich zuzugeben hätte gegen den Begriff der ›Heilig-
keit der Frau‹ verstoßen. Es wurde also in der vorfreudiani-
schen Zeit die Vereinbarung als Axiom durchgesetzt, daß ein
weibliches Wesen keinerlei körperliches Verlangen habe, solange es nicht vom Manne geweckt werde, was aber selbstverständlich offiziell nur in der Ehe erlaubt war. Da aber die
Luft – besonders in Wien – auch in jenen moralischen Zeiten
voll gefährlicher erotischer Infektionsstoffe war, mußte ein

Mädchen aus gutem Hause von der Geburt bis zu dem Tage, da es mit seinem Gatten den Traualtar verließ, in einer völlig sterilisierten Atmosphäre leben. Um die jungen Mädchen zu schützen, ließ man sie nicht einen Augenblick allein. Sie bekamen eine Gouvernante, die dafür zu sorgen hatte, daß sie gottbewahre nicht einen Schritt unbehütet vor die Haustür taten, sie wurden zur Schule, zur Tanzstunde, zur Musikstunde gebracht und ebenso abgeholt. Jedes Buch, das sie lasen, wurde kontrolliert, und vor allem wurden die jungen Mädchen unablässig beschäftigt, um sie von möglichen gefährlichen Gedanken abzulenken. Sie mußten Klavier üben und Singen und Zeichnen und fremde Sprachen und Kunstgeschichte und Literaturgeschichte lernen, man bildete und überbildete sie. Aber während man versuchte, sie so gebildet und gesellschaftlich wohlerzogen wie nur denkbar zu machen, sorgte man gleichzeitig ängstlich dafür, daß sie über alle natürlichen Dinge in einer für uns heute unfaßbaren Ahnungslosigkeit verblieben. Ein junges Mädchen aus guter Familie durfte keinerlei Vorstellung haben, wie der männliche Körper geformt sei, nicht wissen, wie Kinder auf die Welt kommen, denn der Engel sollte ja nicht nur körperlich unberührt, sondern auch seelisch völlig ›rein‹ in die Ehe treten. ›Gut erzogen‹ galt damals bei einem jungen Mädchen für vollkommen identisch mit lebensfremd; und diese Lebensfremdheit ist den Frauen jener Zeit manchmal für ihr ganzes Leben geblieben. Noch heute amüsiert mich die groteske Geschichte einer Tante von mir, die in ihrer Hochzeitsnacht um ein Uhr morgens plötzlich wieder in der Wohnung ihrer Eltern erschien und Sturm läutete, sie wolle den gräßlichen Menschen nie mehr sehen, mit dem man sie verheiratet habe, er sei ein Wahnsinniger und ein Unhold, denn er habe allen Ernstes versucht, sie zu entkleiden. Nur mit Mühe habe sie sich vor diesem sichtbar krankhaften Verlangen retten können. [...]

Aber so wollte die Gesellschaft von damals das junge Mädchen, töricht und unbelehrt, wohlerzogen und ahnungslos, neugierig und schamhaft, unsicher und unpraktisch, und

durch diese lebensfremde Erziehung von vornherein bestimmt, in der Ehe dann willenlos vom Manne geformt und
geführt zu werden. Die Sitte schien sie zu behüten als das
Sinnbild ihres geheimsten Ideals, als das Symbol der weiblichen Sittsamkeit, der Jungfräulichkeit, der Unirdischkeit.
[...]
Versuchte damals die bürgerliche Konvention krampfhaft
die Fiktion aufrechtzuerhalten, daß eine Frau aus ›guten
Kreisen‹ keine Sexualität besitze und besitzen dürfe, solange
sie nicht verheiratet sei – alles andere machte sie zu einer
›unmoralischen Person‹, zu einem Outcast der Familie –, so
war man doch immerhin genötigt, bei einem jungen Mann
das Vorhandensein solcher Triebe zuzugeben. Da man
mannbar gewordene junge Leute erfahrungsgemäß nicht
verhindern konnte, ihre vita sexualis auszuüben, beschränkte
man sich auf den bescheidenen Wunsch, sie sollten ihre un-
würdigen Vergnügungen extra muros[4] der geheiligten Sitte
erledigen. Wie die Städte unter den sauber gekehrten Straßen
mit ihren schönen Luxusgeschäften und eleganten Promena-
den unterirdische Kanalanlagen verbergen, in denen der
Schmutz der Kloaken abgeleitet wird, sollte das ganze sexuelle Leben der Jugend sich unsichtbar unter der moralischen
Oberfläche der ›Gesellschaft‹ abspielen. Welchen Gefahren
der junge Mensch sich dabei aussetzte und in welche Sphären er geriet, war gleichgültig, und Schule wie Familie verab-
säumten ängstlich, den jungen Mann in dieser Hinsicht aufzuklären. Hie und da nur gab es in den letzten Jahren gewisse vorsorgliche oder, wie man damals sagte, ›aufgeklärt
denkende‹ Väter, welche, sobald ihr Sohn die ersten Zeichen
sprossenden Bartwuchses trug, ihm auf den richtigen Weg
helfen wollten. Dann wurde der Hausarzt gerufen, der gele-
gentlich den jungen Menschen in ein Zimmer bat, umständ-
lich seine Brille putzte, ehe er einen Vortrag über die Gefähr-
lichkeit der Geschlechtskrankheiten begann und dem jungen
Mann, der gewöhnlich zu diesem Zeitpunkt längst sich selbst

---

4 (lat.) außerhalb (der Mauern).

belehrt hatte, nahelegte, mäßig zu sein und bestimmte Vorsichtsmaßregeln nicht außer acht zu lassen. Andere Väter wandten ein noch sonderbareres Mittel an; sie engagierten für das Haus ein hübsches Dienstmädchen, dem die Aufgabe zufiel, den jungen Burschen praktisch zu belehren. Denn es schien ihnen besser, daß der junge Mensch diese lästige Sache unter ihrem eigenen Dache abtäte, wodurch nach außen hin das Dekorum gewahrt blieb und außerdem die Gefahr ausgeschaltet, daß er irgendeiner ›raffinierten Person‹ in die Hände fallen könnte. *Eine* Methode der Aufklärung blieb aber in allen Instanzen und Formen entschlossen verpönt: die öffentliche und aufrichtige.

Zweig: Die Welt von gestern. Erinnerungen eines
Europäers. [Frankfurt a. M.:] Fischer, 1955, S. 37
bis 43, 70–73, 77–82.

2. Frank Wedekind: »Über Erotik«

Der Aufsatz »Über Erotik« erschien als Vorwort zu den seit 1910 veröffentlichten Auflagen des Sammelbandes »Feuerwerk. Erzählungen« (zuerst 1905). Er stellt eine Art theoretisches Gegenstück zu den aufklärerisch-pädagogischen Tendenzen von »Frühlings Erwachen« dar:

»Die meisten Menschen pflegen ihre Mitmenschen in zwei große Klassen einzuteilen: In ihre Freunde und ihre Feinde, in diejenigen, mit denen sie ein und dieselbe Sprache verbindet, und in diejenigen, mit denen sie keine Verständigung finden, in diejenigen, die ihrer Entwicklung förderlich sind, und in diejenigen, die sie in ihrer Entwicklung hindern.
Auch ich möchte die Menschen in zwei große Parteien einteilen. Die eine Partei huldigt seit Menschengedenken dem Wahlspruch:
›Fleisch bleibt Fleisch – im Gegensatz zum Geist.‹
Selbstverständlich ist der Geist dabei das höhere Element, der absolute Herrscher, der jede selbstherrliche, revolutio-

näre Äußerung des Fleisches aufs unerbittlichste rächt und
straft.

Diese Geringschätzung und Entwürdigung hat sich aber das
Fleisch auf die Dauer niemals gefallen lassen. Das Fleisch hat
den Bekennern des Wahlspruches: ›Fleisch bleibt Fleisch –
im Gegensatz zum Geist‹ immer und immer wieder den toll-
sten Schabernack gespielt.

Infolge dieses ewigen Schabernacks hat sich eine andere Partei gebildet, die nach reiflicher Erfahrung dem Wahlspruch
huldigt:

›Das Fleisch hat seinen eigenen Geist.‹

Im Sinne der Bekenner dieses Wahlspruches sind die in diesem Buch enthaltenen Erzählungen geschrieben. Ihre Probleme drehen sich um den eigenen Geist des Fleisches, den
wir im allgemeinen Erotik nennen. Diese Erotik hat bis vor
wenigen Jahren nicht nur in Deutschland als ein anrüchiges
Gebiet gegolten. Es sei mir vergönnt, diese allbekannte An-
rüchigkeit mit einigen gänzlich unparteiischen Worten zu
erörtern.

Infolge von Unglücksfällen aller Art, Selbstmorden usw.
drängt sich uns seit einigen Jahren das Problem der sexuellen
Aufklärung der Jugend auf.

Unsere Jugend hat es nun aber meiner Ansicht nach gar
nicht in erster Linie nötig, sexuell aufgeklärt zu werden. Eine
genauere Aufklärung über Vorgänge und Gefahren der Sexualität hätte jedenfalls nicht das Haus, sondern die Schule
zu besorgen. Das Haus, die Familie aber hat die heranwachsende Jugend vor allem darüber aufzuklären, daß es in der
Natur überhaupt gar keine unanständigen Vorgänge gibt,
sondern nur nützliche und schädliche, vernünftige und un-
vernünftige. Daß es in der Natur aber unanständige Menschen gibt, die über diese Vorgänge nicht anständig reden,
oder die sich bei diesen Vorgängen nicht anständig beneh-
men können.

Warum? Weil es ihnen an Bildung, an geistiger Freiheit
fehlt.

Die Jugend wächst nicht in angeborener Dummheit und

Blindheit heran. Ein wahnwitziges Verbrechen ist es hingegen, die Jugend systematisch zur Dummheit und Blindheit ihrer Sexualität gegenüber anzulernen und zu erziehen, sie systematisch auf den Holzweg zu führen.

Dieses Verbrechen ist in den letzten hundert Jahren bei uns allgemein in Schule und Haus begangen worden. Und aus welchem Grunde wurde dieses Verbrechen begangen? Aus Furcht, daß ernste Gespräche über Erotik und Sexualität der heranwachsenden Jugend Schaden zufügen könnten.

Diese Befürchtung ist das Ergebnis einer großen Selbsttäuschung. Die Eltern vermieden solche Gespräche nicht etwa, wie sie sich einredeten, aus Furcht, ihren Kindern damit zu schaden, sondern weil sie selber unter sich über erotische Fragen nicht sprechen konnten, weil sie ernst darüber zu sprechen nicht gelernt hatten.

Und warum konnten denn Eltern unter sich so lange Zeit nicht frei und offen über sexuelle Fragen sprechen? Warum war die Erörterung dieser Fragen im Familienleben schlechtweg und allgemein als unanständig ausgeschaltet?

Weil solche Gespräche häufig und ganz unvorhergesehen zu den allerpeinlichsten Streitigkeiten führten.

Und warum entstanden solche Streitigkeiten? Weil sich ein solches Gespräch auf Empfindungsgebieten bewegt, auf denen sich die Menschen, Mann oder Weib, besonders wenn sie zusammen leben, am leichtesten verletzt, beleidigt oder in unerträglicher Weise bloßgestellt fühlen, auf Empfindungsgebieten, auf denen sie niemandem, zu allerletzt dem eigenen Gatten Rechenschaft zu stehen Lust haben. Als solche Empfindungsgebiete erwähne ich nur ganz beispielsweise: Die körperlichen Reize des Weibes. Die körperliche Gesundheit des Mannes.

Setzen wir einmal den Fall, der Mann spricht unvermutet über irgendeinen ixbeliebigen sexuellen Vorfall, der sich in Spanien oder Marokko abgespielt hat. Die erste Entgegnung der Frau lautet: Ich bin dir wohl nicht mehr schön genug? – Setzen wir den andern Fall, die Frau spricht über irgendeinen ixbeliebigen sexuellen Vorfall, der sich in Skandinavien

oder Grönland abgespielt hat. Die erste Entgegnung des
Mannes lautet: Ich genüge dir wohl nicht mehr? – Durch
diese Entgegnungen ist die Feindseligkeit eröffnet und eine
ersprießliche Erörterung der vielleicht ganz lehrreichen Fälle
ausgeschlossen.
Ist nun die mimosenhafte Empfindlichkeit diesen Gebieten
gegenüber unter Erwachsenen irgendwie gerechtfertigt?
Sicherlich!
In den Jahren der Vollreife gehören die eben erwähnten Faktoren in sehr vielen Fällen, besonders da, wo es nicht einge-
standen wird, zu den wichtigsten Elementen des menschlichen Daseins. Es sind die Faktoren, durch die die Familie
zusammengehalten, eventuell in ihrem Bestehen gefährdet,
in vielen Fällen auseinandergerissen und zerstört wird.
So leicht und oft am Urbeginn einer Familienzusammenge-
hörigkeit gerüttelt wird, so selten und ungern wird über
ihren Urbeginn gesprochen. Gespräche darüber sind wegen
des unerquicklichen Verlaufes, den sie zu nehmen pflegen,
als ungehörig ausgeschlossen. Fragt jemand nach dem
Grunde, dann wird er zurechtgewiesen: Es ziemt sich nicht.
Es schickt sich nicht. Es gehört sich nicht. Und fragt er:
Warum es sich nicht gehört? Weil es unanständig ist.
Die Familie ist ein Bündnis, in dem aus purer Angst, daß es
scheitern könnte, über die Gefahren, die ihm drohen, immer
erst dann offen gesprochen werden darf, nachdem es daran
gescheitert ist.
Diese Tatsache ist der stärkste Beweis nicht gegen, sondern
für die Dauerhaftigkeit der Familie, da ihr zum Trotz die
meisten Familien zusammenhalten. Sie ist zugleich ein bedenkliches Zeugnis für die Würde und Selbstachtung des
Menschen, der vor Gefahren, denen sein Glück ausgesetzt
ist, lieber zeitlebens den Kopf in den Sand steckt, als daß er
den Bedingungen, auf denen sein Glück beruht, klar und
unerschrocken in die Augen blickt.
Deshalb, weil eine Erkenntnis ebenso inhaltsschwer wie
schwierig zu erlangen ist, geht ihr ein Mensch, der etwas auf
sich hält, aber erst recht nicht aus dem Wege.

Kann dadurch irgendein Schaden entstehen? Kann dadurch irgendein Menschenkind benachteiligt werden?

Meiner Ansicht nach nicht.

Es ist in der Welt dafür gesorgt, daß keiner so arm ist, daß nicht ein andrer mit all seinen Existenzbedingungen, mit all seinen Glücksmöglichkeiten auf ihn angewiesen ist.

Davor, daß die Urbedingungen unseres Zusammenlebens ernst erörtert werden, braucht niemand, der seine einmal errungene Stellung behaupten will, zu erzittern. Diese Erörterungen können aber jedem von uns über die Furcht oder Scheu vor allerhand Feinden und Gefahren hinweghelfen, die nur in unserer Einbildung bestehen.

Denn auf keinem andern Gebiete wuchert so viel Aberglauben, auf keinem andern Gebiete sind so viel grundfalsche »Wahrheiten‹ im Umlauf, um uns zu den widersinnigsten Tollheiten zu verleiten, wie auf dem der Erotik und der Sexualität.

Ist das ein Wunder, wenn diese Gebiete durch die himmelhohe Schranke des Anstandes, durch diese offenkundige Vogel-Strauß-Politik, von unserer klaren Vernunft geschieden sind?

Wir kennen die Maschinerie eines Gasmotoren, eines Flugapparates. Wir kennen aber nicht die Maschinerie einer Ehe. Dieser Mechanismus findet sich in keinem Buche dieser Welt erklärt, dagegen erscheinen jährlich Hunderttausende von Büchern, in denen phantasievolle Räubergeschichten über diesen Mechanismus zum besten gegeben werden, in denen die Menschheit ihrer alten Leidenschaft frönt, sich über ihre wichtigsten Angelegenheiten blauen Dunst vorzumachen.

Tausende von gebildeten Menschen glauben, ihre Ehe werde dadurch zusammengehalten, daß sie verheiratet sind. Mit den wirklichen Gründen des Zusammenbleibens wird gar nicht gerechnet. Was Wunder, daß der Irrtum leicht zur Trennung führt! Andere glauben sich durch den gemeinsamen Besitz verbunden. Dieser Trugschluß macht die Beteiligten unweigerlich zu Sklaven ihres Besitzes. Das Schlimmste aber ist, wenn sich Eltern einbilden, daß sie ihrer

Kinder wegen zusammenbleiben. Die armen Kinder erhalten dann alle Prügel, die sich die Eltern gerne gegenseitig verabreichen möchten.

Nun wird natürlich die Frage laut: Wo bleibt bei alledem eine Eigenschaft, die seit Jahrtausenden zu den schönsten Tugenden des Menschen gerechnet wurde: Wo bleibt das Schamgefühl?

Leider ist diese Tugend aufs innigste verwandt mit geistiger Unklarheit, mit Schwäche und Unentschlossenheit. Kein vernünftiger Mensch hat das Schamgefühl noch je als eine Tugend hingestellt, die gepflegt und großgezogen werden soll.

Durch eine aufrichtige Erörterung sexueller Fragen werden aber außerdem allerhand Kulturerscheinungen, die außerhalb der Gesellschaftsordnung stehen, wie die luxuriöse Prostitution, ihrer gänzlich falschen, sagenhaften, völlig ungerechtfertigten Romantik entkleidet. Sie zeigen sich im Lichte solcher Erörterungen als augenblicklich blendende, aber sehr kurzlebige, teils höchst unbequeme, teils sehr unrentable Surrogate der natürlichen Lebensordnung.

Wie aber sind nun bei solchen Gesprächen die Streitigkeiten, die daraus entstehen, zu vermeiden?

Einfach durch Überlegung, durch Umsicht, durch Klugheit, kurzum durch eine gesteigerte Geistestätigkeit.

So kann die Erörterung der Sexualität, statt wie bisher ein Tummelplatz menschlicher Roheit zu sein, geradezu zu einer geistigen Schulung, zu einer Geistesgymnastik werden, wie es für unsere Jugend die lateinische Grammatik ist.

In unserer heutigen Gesellschaft spricht man vorsichtiger über Politik als über Religion. Zur Zeit der Reformation war das sicherlich umgekehrt. Ebenso müssen wir heute noch vorsichtiger über Sexualität als über Politik sprechen. Wenn sich die Begriffe auf diesem Gebiete aber einmal geklärt haben, dann wird das vielleicht wieder ganz anders werden.

Seit Menschengedenken haben sich eingefleischt rohe Menschen die allgemeine Scheu, die vor der Erotik bestand, zunutze gemacht und durch unvorhergesehenes Streifen dieses

Gebietes ihre zarter, weil ernster aber auch ängstlicher emp-
findenden Mitmenschen teils wirkungsvoll verblüfft, teils
unerträglich geärgert.
So entstand die Zote.
Die Zote, die heute bei uns in Hoftheatern und Tingeltan-
geln, von keinem Staatsanwalt und keinem Zensor behin-
dert, täglich ihre gellenden, dröhnenden Triumphe feiert.
Was ist eine Zote? Zote ist eine Verächtlichmachung, eine
Entwürdigung, eine Beschimpfung der Sexualität. Am beliebtesten ist sie bei denjenigen Menschen, die blinde Sklaven
ihrer Triebe sind, denen, während sie sich einer Umarmung
überlassen, die Sinne schwinden oder deren Denkvermögen
dabei aussetzt. In der Verächtlichmachung und Beschimpfung liegt dann eine Art von ohnmächtiger Empörung, von
Protest gegenüber einer tyrannischen Gewalt, gegen die es
für diese Leute in Wirklichkeit kein Aufkommen gibt. Wie
ich das schon in meinem Drama ›Hidalla‹ auseinandersetzte,
ist die Zote ganz die nämliche Erscheinung auf sexuellem
Gebiet, die sich auf religiösem in Flüchen äußert.
Aber gerade die rohen, zotigen Menschen unter uns sind die
unversöhnlichsten, hartgesottensten Feinde einer ernsten
ehrfurchtsvollen Ergründung erotischer Fragen, weil sie dadurch um ihre billigsten, beliebtesten Wirkungen gebracht
werden.
Durch unsere ernste Ergründung also werden wir uns, von
allem höheren Gewinn abgesehen, vor allem die rote Zote
vom Halse schaffen. Nach oben befestigen wir uns gegen
den blinden, überrumpelnden Zufall. Nach unten gegen die
siegesgewisse Unverschämtheit kultur- und bildungsfeindli-
cher Strauchdiebe.
Wenn nun aber ein Polizeibeamter die ernste, künstlerisch
wertvolle Erörterung sexueller Fragen in der Öffentlichkeit
unterdrückt, während in gleicher Öffentlichkeit Spöttereien
und Witzeleien über sexuelle Dinge ohne Bedenken zugelassen werden, so macht sich dieser Polizeibeamte dadurch einer unsittlichen Handlung schuldig, und zwar einer Unsitt-
lichkeit, die unvergleichlich schwerer wiegt, als eine einzelne

von einem nur halb zurechnungsfähigen Menschen begange-
nen Tat von Notzucht oder Lustmord. Denn seine Handlung leistet der sexuellen Wirrnis Vorschub, unter deren
Schutz und Einwirkung Notzucht und Lustmord verübt
werden.

Und nun lernen wir erst einmal selber unter uns diese Fragen
ernst, sachlich, leidenschaftslos zu betrachten. Der Humor
braucht dabei absolut nicht betteln zu gehen. Im Gegenteil.

Der erste Ertrag der sexuellen Aufklärung der Jugend wird
sich dann darin zeigen, daß sich die Eltern endlich einmal in
sexueller Beziehung, so komisch das klingen mag, klar werden. Daß wir nicht mehr für unanständig halten, was nicht
nur den allerfeinsten, allerabgeklärtesten Anstand erfordert,
sondern was zugleich neben unserem Broterwerb vielleicht
das allerwichtigste Gebiet unseres irdischen Daseins repräsentiert.

Nachher werden wir dann auch ohne Schwindelanfälle und
Herzbeklemmungen ermessen können, wie wenig oder wie
viel wir Kindern davon mitteilen können, die sich in ihrer
Unwissenheit innig danach sehnen, ernst und ehrfurchtsvoll
über ihre eigenen Uranfänge sprechen zu hören.«

GW 1. S. 199–206.

VII. Literaturhinweise

1. Ausgaben

»Frühlings Erwachen« ist in zahlreichen deutschen und fremdsprachigen Ausgaben erschienen, u. a.:

Zürich: Jean Groß, 1891. [Erstausgabe.]

Frank Wedekind: Gesammelte Werke. Hrsg. von Artur Kutscher und Richard Friedenthal. 9 Bde. München: Georg Müller, 1912 bis 1921. [Zit. als: GW.] [»Frühlings Erwachen«: Bd 2.]

Frank Wedekind: Ausgewählte Werke. Hrsg. von Fritz Strich. 5 Bde. München: Georg Müller, 1924. [Frühlings Erwachen«: Bd. 1.]

Frank Wedekind: Prosa, Dramen, Verse. 2 Bde. München: Langen/Müller, [1954-64]. [»Frühlings Erwachen«: Bd. 1.]

Frank Wedekind: Werke. Hrsg. und eingel. von Manfred Hahn. 3 Bde. Berlin/Weimar: Aufbau-Verlag, 1969. [»Frühlings Erwachen«: Bd. 1.]

Frank Wedekind: Werke. 2 Bde. Hrsg. von Erhard Weidl. München: Winkler, 1990. [»Frühlings Erwachen«: Bd. 1.]

Frank Wedekind: Werke. Kritische Studienausgabe. Hrsg. von der Editions- und Forschungsstelle Frank Wedekind, Darmstadt. Darmstadt: Häußer, 1994 ff.

2. Gesamtdarstellungen und Untersuchungen zu »Frühlings Erwachen«

Austermühl, Elke / Vinçon, Hartmut: Frank Wedekinds Dramen. In: Die literarische Moderne in Europa. Hrsg. von Hans Joachim Plechotta, Ralph-Rainer Wuthenow und Sabine Rothemann. Bd. 2. Opladen 1994. S. 304–321.

Bab, Julius: Frau Gabor. In: J. B.: Nebenrollen. Ein dramaturgischer Mikrokosmos. Berlin 1913. S. 206-213.

Bertschinger, Thomas: Das Bild der Schule in der deutschen Literatur zwischen 1890 und 1914. Diss. Zürich 1969.

Best, Alan: Frank Wedekind. London 1975.

Bullivant, Keith: The Notion of Morality in Wedekind's »Frühlings Erwachen«. In: New German Studies 1 (1973) H. 1. S. 40-47.

Burns, Robert A.: Wedekind's Concept of Morality: an Extension of the Argument. In: New German Studies 3 (1975) H. 3. S. 155 bis 164.

Damm, Sigrid: Probleme der Menschengestaltung im Drama Hauptmanns, Hofmannsthals und Wedekinds. Diss. Jena 1970.

Elsner, Richard: Frank Wedekinds Frühlings Erwachen. Berlin/ Charlottenburg 1908.

Faesi, Robert: Frank Wedekind: Ein Vorläufer. In: Hermann Friedmann / Otto Mann (Hrsg.): Expressionismus. Gestalten einer literarischen Bewegung. Heidelberg 1956. S. 241–263. Bearbeitet auch in: Hermann Friedmann / Otto Mann (Hrsg.): Deutsche Literatur im 20. Jahrhundert. Strukturen und Gestalten. 5., veränd. und erw. Aufl. hrsg. von Otto Mann und Wolfgang Rothe. Bd. 2. Bern/München 1967. S. 279-298.

Fechter, Paul: Frank Wedekind. Der Mensch und das Werk. Jena 1920.

Feuchtwanger, Lion: Frank Wedekind. In: Neue Deutsche Literatur 12 (1964) H. 7. S. 6–21.

Friedmann, Jürgen: Frank Wedekinds Dramen nach 1900. Eine Untersuchung zur Erkenntnisfunktion seiner Dramen. Stuttgart 1975.

Gittleman, Sol: Frank Wedekind. New York 1969.

Gundolf, Friedrich: Frank Wedekind. München 1954. (Langen-Müllers kleine Geschenkbücher. Bd. 25.) Zuerst in: Trivium 4 (1948) S. 187–217.

Guthke, Karl S.: Geschichte und Poetik der deutschen Tragikomödie. Göttingen 1961.

Herbst, Kurt: Gedanken über Frank Wedekinds »Frühlings Erwachen«, »Erdgeist« und »Die Büchse der Pandora«. Eine literarische Plauderei von K. H. Leipzig [1919].

Hibberd, J[ohn] L[aurence]: Imaginary Numbers and »Humor«: On Wedekind's »Frühlings Erwachen«. In: Modern Language Review 74 (1979) S. 633–647.

Irmer, Hans-Jochen: Der Theaterdichter Frank Wedekind. Werk und Wirkung. Berlin 1975.

Jesch, Jörg: Stilhaltungen im Drama Frank Wedekinds. Diss. Marburg 1959.

Kapp, Julius: Frank Wedekind. Seine Eigenart und seine Werke. Berlin 1909.

Kaufmann, Hans: Zwei Dramatiker: Gerhart Hauptmann und Frank Wedekind. In: H. K.: Krisen und Wandlungen der deutschen Literatur von Wedekind bis Feuchtwanger. Berlin 1966. S. 45–81.

Kieser, Rolf: Benjamin Franklin Wedekind. Biographie einer Jugend. Zürich 1990.

Klussmann, Paul Gerhard: Kindertragödie und Erwachsenensatire. Zur Spieltheorie und Darstellungsform von Wedekinds »Frühlings Erwachen«. In: Drama und Theater. Theorie – Methode – Geschichte. Hrsg. von Herta Schmid und Hedwig Král. München 1991. S. 478–495.

Kutscher, Artur: Frank Wedekind. Sein Leben und seine Werke. 3 Bde. München 1922–31. [Zit. als: Kutscher.]

– Wedekind. Leben und Werk. Bearb. und neu hrsg. von Karl Ude. München 1964.

Michelsen, Peter: Frank Wedekind. In: Benno von Wiese (Hrsg.): Deutsche Dichter der Moderne. Ihr Leben und Werk. Berlin 1965. S. 49–67.

Pickerodt, Gerhart: Frank Wedekind: Frühlings Erwachen. Frankfurt a. M. [u. a.] 1984.

Roth, Friedhelm: Frank Wedekind: Frühlings Erwachen. In: Von Lessing bis Kroetz. Einführung in die Dramenanalyse. Hrsg. von Jan Berg [u. a.]. 2. Aufl. Kronberg i. Ts. 1976. S. 104–137.

Rothe, Friedrich: Frank Wedekinds Dramen. Jugendstil und Lebensphilosophie. Stuttgart 1968. (Germanistische Abhandlungen. 23.)

– »Frühlings Erwachen«. Zum Verhältnis von sexueller und sozialer Emanzipation bei Frank Wedekind. In: studi germanici. n. s. 7 (1969) H. 1. S. 30–41.

Seehaus, Günter: Frank Wedekind und das Theater. München 1964.

– Frank Wedekind in Selbstzeugnissen und Bilddokumenten. Reinbek 1974.

Shaw, Leroy R.: The Playwright and Historical Change. Dramatic Strategies in Brecht, Hauptmann, Kaiser and Wedekind. Madison/Milwaukee/London 1970.

Ude, Karl: Frank Wedekind. Mühlacker 1966

Vinçon, Hartmut: Frank Wedekind. Stuttgart 1987. (Sammlung Metzler. 230.)

Völker, Klaus: Frank Wedekind. Velber 1965.

Vohland, Ulrich: Wider die falsche Erziehung. Zu Wedekinds »Frühlings Erwachen«. In: Diskussion Deutsch 10 (1979) S. 3–18.

Wagener, Hans: Frank Wedekind. Berlin 1979.

White, Alfred D.: The Notion of Morality in Wedekind's »Frühlings Erwachen«: A Comment. In: New German Studies 1 (1973) H. 2. S. 116–118.

Erläuterungen und Dokumente

Philipp Reclam jun. Stuttgart